CW00584926

ELIAS CANETTI

Apuntes 1973-1984

Traducción de Genoveva Dieterich

Galaxia Gutenberg
Círculo de Lectores

Primera edición
Barcelona, 2000

Apuntes 1973-1984

La traducción de los textos que Canetti apuntó en otros idiomas figura en apéndice al final del volumen.

1973

Nada le interesaría más que un hombre que haya *callado* toda su vida. Pero le gustaría encontrarse con él en el momento en que empiece a hablar.

Bloqueo: alguien va cercándose de palabras que no puede brincar. Cuando éstas se agujerean, las cambia por otras.

Corrupción por palabras olvidadas.

Desmontar a un hombre y recomponerlo de otra manera: chamanismo.

¿No sería mejor que nunca hubiéramos salido de la caverna?

Insoportables, los que siempre se creen auténticos.

Miradas tan cansinas que ni siquiera estorban mis palabras mientras las escribo.

Hienas del regalo a las que siempre cae algo de los regalos para otros.

¡Qué apocado ha de ser el que no soporta el dolor del otro!

Un misionero como superviviente del fin del mundo.

Nadie sabe lo que es bueno. Sabemos lo que sería mejor.

Stendhal siente a Mozart sombrío, trágico y grave.

«¿Compasión? No existe», dijo el millonario, y volvió de nuevo a la India a fotografiar a sus santos.

Pagar por sueños.

Si él pudiera adivinar el grado de amargura que va a alcanzar, en vez de crecer se volvería cada vez más pequeño, hasta desaparecer.

Todos esos sabihondos que repiten sus reglas, mientras que a su alrededor todo muere.

¡Cuántas injusticias cometemos, para ser justos *una vez*!

Profecía de la memoria.

Todos se vuelven muy morales y se suben a su caballo con él.

Su ceniza inextinguible.

Ahí está otra vez, en la palabra más antigua de su lengua alemana.

Uno que va a las casas a intercambiar a los niños.
Otro que viene a devolverlos.

Uno que va a las casas a repartir nombres.
Otro que los confunde.

Uno que trae semanas y años. Otro que se los
lleva. ¿Quién les dirá quiénes son?

Él también devolvió los golpes, pero no le parecieron tales porque todo recaía sobre él antes de que el
otro lo notara.

Mutanabbi: «The taste of death in a despicable
cause is like the taste of death in a great cause».

No me arrepiento de esas orgías de libros. Me siento
como en la época de la expansión para *Masa y poder*.
También entonces todo sucedió por aventuras con
libros. En Viena, cuando no tenía dinero, gastaba
todo lo que no tenía en libros. En Londres, en los
peores momentos, conseguía, contra viento y marea,
comprar de vez en cuando libros. Nunca he aprendido nada sistemáticamente, como otra gente, sino
por excitaciones súbitas. Siempre empezaban con
que mi mirada caía sobre algo que tenía que poseer
fuera como fuera. El gesto de coger, la alegría de tirar
el dinero por la ventana, el transportarlo a casa o al
local más próximo, el contemplar, acariciar, hojear,
el guardarlo durante años, el momento de un nuevo
descubrimiento cuando las cosas se ponían serias
– todo esto es parte de un proceso creativo cuyos de-

talles secretos desconozco. Pero en mi caso nada sucede de otro modo, y por lo tanto tendré que comprar libros hasta el último instante de mi vida, sobre todo cuando sé con seguridad que nunca los leeré.

Creo que es también parte de la rebeldía contra la muerte. Nunca quiero saber qué libros entre ésos se quedarán sin leer. Hasta el final no está determinado cuáles van a ser. Tengo libertad de elección, puedo elegir en cualquier momento entre todos los libros a mi alrededor, y por ello tengo en *mi* mano el curso de la vida.

La muerte es mi plomada, y me afano desesperadamente por no perderla.

La extraña idea de Ha. de que se puede luchar contra todo menos contra la muerte. Como si hubiera otra cosa contra la que tuviéramos que luchar.

Un niño como oráculo. Interpretación de sus balbuceos.

Las lecturas públicas de Karl Kraus: un culto a Shiva en Viena. Para ello hace falta *pathos* y frenesí, que hoy generan gran malestar.

El viejo muerde con los años en vez de con los dientes.

1974

Allí la paz estaba prohibida para siempre, era
tenida por el infierno.

Sólo al que mataba o era muerto se le consi-
deraba un ser humano. Todos los demás eran gusa-
nos, pobres diablos.

El niño de palabras y mandarinas.

«Las grandes hazañas tienen sed de cánticos.»

Píndaro

Volver a la oratoria, a la gran oratoria, huyendo del
resecamiento ascético de las palabras.

Destronar a la exactitud de su sitial divino.

Seguir de nuevo la inflamación y la pasión.

Kafka ha influido demasiado en mí en estos
últimos años. Me ha quitado el gusto por
la expansión, que era el aliento de mi vida.

Contraponer lo más detallado a lo más breve.

Los griegos de nuevo, los griegos siempre, pero
también los chinos, la Biblia y las historias de todos
los pueblos.

Revisar una vida en vez de por los años según sus contenidos, como: todos los terrores, todas las sorpresas, todas las metamorfosis, todas las entradas y salidas, todos los contrastes, todas las esperanzas, todas las enemistades, todas las desgracias, todas las satisfacciones, todos los castigos.

Los pocos pensamientos que ya nunca abandonamos; los muchos que tocamos una vez y dejamos. Éstos vuelven de tarde en tarde como cometas, reconocidos o no reconocidos, casuales o poderosos.

Un niño que quiere quedarse tan pequeño como es. Un niño que erradica su pasada pequeñez.

La verdadera dialéctica se ve perturbada por la conciencia de sí misma. Por eso desconfío de todos los filósofos de la dialéctica.

Con el Nuevo Teofrasto me aseguro el derecho a la historia de mi vida.

El tono de la perfección (Hofmannsthal).

Coro de bajos de magnates.

Entonces desaparecieron todos los motivos y ya nada tenía explicación.

Novela oracular de rayos.

Qué ridículo sería reconstruir la propia juventud a
partir de sus documentos, de sus residuos externos.
En cuán mayor medida esa juventud se ha hecho
en uno mismo. Toda la vida posterior la absorbe,
y los documentos desnudos, pobres, parpadean.
No esperaban tanta luz, porque no la conocían;
sus formas insuficientes se tambalean. Está bien que
se haya perdido todo de este primer tiempo.
Igualmente está bien que aún quede algo de él.

Schopenhauer y el orangután: «En la feria de otoño
de 1854 se mostró en Frankfurt una gran curiosidad
en Europa, un joven orangután vivo. Schopenhauer
iba a visitar casi a diario al supuesto progenitor de
nuestra especie, al que había esperado en vano conocer hasta casi cumplir setenta años, y aconsejó a sus
conocidos no dejar desaprovechada la oportunidad
de ir, hoy mejor que mañana, ya que podía estar
muerto al día siguiente» (Gwinner, *Schopenhauer*).

«La última ejecución en el principado de Liechtenstein tuvo lugar por decapitación de una mujer en el
año 1785. Ésta, una persona gigantesca, iba por los
pueblos vendiendo baratijas, pero en su cajón solía
llevar a su extraordinariamente pequeño marido,
que en momentos propicios se escapaba del
estrecho baúl y robaba en las casas visitadas lo
que le caía entre las manos.

»Estos robos a gran escala fueron fatales para la instigadora, que fue condenada a muerte.»

Toda muerte rompe la cohesión de la intrincada red que es el mundo.

Seres humanos, antes de que él los conozca. Tratar a tales seres humanos. ¿Cómo?

Es especialmente importante investigar si la muerte palidece para el que ve crecer a un niño, si se vuelve indiferente, si el engendrar nuevos seres humanos basta para soslayar la muerte, o si sólo se trata de otra forma de autoengaño, que exige ser apaciguada.

La historia de la propia vida le parece a uno tan aburrida porque no ha sido realmente inventada.

Él sabe ahora que seguirá existiendo en un cajón.

La hostilidad de aquellos que hurgan en nosotros. Desean que se lo digamos mejor en su idioma.

Amo demasiadas cosas. Debería amar todavía más.

No es sentimental pensar en un muerto, mientras no se haya reconocido su muerte.

Es imposible predecir cómo terminará la historia de los judíos. ¿Quedarán los que han *permanecido* entre sus enemigos o desaparecerán también ellos?

A veces me gustaría no ser judío, aunque sólo fuera para tener sobre ellos una opinión que no sea egoísta.

Pero quiero ser un judío, para no ahorrarme ninguna de las adversidades que les han sido impuestas. No quiero apartar de mí esa especie de amenaza colectiva, porque es un claro ejemplo para todas las amenazas de índole parecida, y lo obliga a uno a no pasarlas nunca por alto ni a olvidarlas.

La actitud vigilante del judío, quien en ningún sentido es mejor ni peor que otros, me parece propicia para las operaciones de orden intelectual-moral.

El que la ha recibido debe aprovecharla, o dar gracias por ella y *regalar* lo que ésta le proporciona de conocimiento a los demás, que no la poseen en la misma medida, porque no la necesitan tanto.

1975

Una autobiografía basada en los dioses.
Cuándo los hemos encontrado, cuándo han muerto.

Castigos del lenguaje.

Amigos como para avergonzarse de uno mismo.

El pintor-charlatán y el fatigado de los colores.
Su disputa.

A él le pertenecen ciudades, no casas.

Repentina reducción del número de estrellas.
Inexplicable.

Cartas de muertos. Datos alterados.

El intruso pidió una sílaba de reconocimiento,
dio las gracias y se esfumó.

Y si no hicieras nada más que escribir tu vida,
toda tu vida, al menos la habrías creado.

Mordaz y ponderado, ¿es compatible?

Un papel que incita a la crueldad.

¿Un zoólogo chiflado? ¡Inimaginable!

Herder no se asfixió. Si no, Jean Paul no hubiera
podido amarlo.
    Aún es más extraño que Goethe no se asfixiara.

Hay que defenderse de todo lo que somos, pero
de tal manera que no lo destruyamos.

Al espíritu que se ha acomodado no se le da crédito.
Se da crédito a Hölderlin, que pagó su espíritu
con cuarenta años de locura.

El partido de los subordinadores, el partido
principal.

El cuidador de sus prejuicios – cada vez tiene
menos, y esto lo angustia.

El mundo intacto ha pasado. Nunca lo hubo.
Quizá el mundo *ha sido* mejor. Intacto nunca
estuvo.
    Quiero poner la ternura de la vida en lugar
de lo intacto y para ello escribo la historia de mi
juventud.

Así los apuntes se han convertido en una forma.
No hay límite a su capacidad de comprensión.

Todo lo que *falta* en ellos es importante. El lector se entrega él mismo como complemento.

Los ancianos están tan solos que les perdono incluso sus riquezas.

Que la esperanza ya sólo radica en lo fragmentario, que ya una totalidad de la vida sólo se halla en lo fragmentario, donde se desparrama y vuelve sobre sí con una velocidad diabólica. Que se ha vuelto más difícil escapar al peso de lo consumado, sin interpretarlo equivocadamente. Que percibimos chispas antes de que sean fuego sin apagarlas. Que no se teme el discurso que provoca todo, pero que no provoca nada él mismo y que, sin embargo, no calla. Que no se recorta la vida, a pesar de su carácter problemático. Que se la busca por todas partes, pero no en los caminos trillados. Que dejamos que el cielo sea el cielo, sin Dios, acribillado por telescopios, ultrajado por la destrucción más despiadada y que aún amamos la superficie de la tierra, donde no ha sido socavada. Que nos permitimos como nadie ensalzar la fragmentación por sus ventajas, sin renunciar a las partículas, y que sostenemos cada una de ellas y reflexionamos, como si se tratara del todo, que no puede ser. Que nos inclinamos para no ver lo grande y dejamos que exista lo pequeño sin inflarlo. Que estamos de pie, porque es demasiado fácil estar tumbados; que no nos sentamos encima de nadie, pero salvamos la constancia del estar sentado, percibimos todos los ojos, captamos todas las voces y cuando se pierde su origen les respondemos en nuestro interior. Que adivinamos lo que las voces no pueden decir, que enterramos ojos quebrados, sentimos todas las heridas y sólo desdeñamos las propias. Que no le reprochamos a la fe lo que siempre fue creído equivocadamente y que encuentra en los añicos del error la esperanza. Que no se arroja a la nada a nadie que estuviera allí a gusto. Que únicamente visitamos la nada para hallar el camino que conduce fuera de ella y mostrar el camino a cada cual. Que perseveramos en el dolor y en la desesperación para aprender cómo sacar a otros de ellos, pero no por desprecio de la felicidad que corresponde a las criaturas, a pesar de que se desfiguran y despedazan mutuamente.

Reparos a tu agradecimiento: una forma más refinada de la autosobrevaloración.

Es increíble cómo Wagner ha acostumbrado al mundo a la muerte con grandilocuencia sentimental.

Quizá en las intuiciones del miedo no existan límites entre los hombres.

Los criminales que han logrado fundir el amor y la muerte: los violadores suicidas.

Sucumbiré. Sé que sucumbiré, pero puedo decir que me he resistido contra ello toda una vida. Si no me hubiera resistido *toda una vida*, importaría poco que también yo haya de sucumbir.

Intento imaginar un corazón tan pequeño como sus dedos.

Terribles verdades sobre la madre en *Masa y poder*. ¿Cómo puedes justificarlas? Viviendo y diciendo cómo sería una verdadera madre.

La amargura parece justa, la amargura parece fácil. Pero yo conozco la pasión por el ser humano, de la que ha brotado.

El gordo de futuro.

Uno que sólo olvida a gente famosa.

Pido una sentencia severa: he facilitado las actas.

Inconcebible, lo que sucede en los lugares bíblicos: cohetes, tanques, *jets* y los viejos nombres.
   ¿Quiere eso decir que los nombres no significan nada? ¿O quiere decir que los nombres revelan su contenido sólo después de milenios? ¿Forma parte de los nombres bíblicos también lo que ahora sucede allí? ¿Son acaso los nombres reservas secretas de acontecimientos? ¿Pueden por eso llevar el mismo nombre personas tan diferentes?
   ¡Aristóteles Sócrates Onassis!

¿Podríamos tener aún esperanzas para el pasado?

El sabelotodo sediento.

Sigo sin creerme que tengo que morir, pero lo sé.
Vista a través de telas de araña.

Cielo adelgazado, infierno refrigerado.

El «Enemigo de la muerte» no fue escrito y, así, yo
no he hecho nada. He merecido con creces la burla
que cosecho por sus convicciones. Si estuviera aquí,
si existiera físicamente, si de verdad estuviera aquí,
nadie sería capaz de burlarse de él.

El último indio ona ha muerto en Tierra del Fuego.

Raíles de tranvía, chirriantes sabihondos.

Un corazón de penas y deseos extáticos.

Mark Twain: su amargura tardía, después de todo
lo que había creído en un principio, es necesaria y
justa. ¡Qué diferente de Shaw, que hasta el final
encontraba satisfacción en sus ingeniosidades! En
la desesperanza de sus últimos años, Mark Twain
es un precursor de nuestro tiempo.
    Lo que escribió para sí mismo y mantuvo secreto
es lo importante; habría que conocerlo todo. La im-
pureza de sus formas. Su aceptación de la costum-

bre norteamericana forma parte de él como expre-
sión de su debacle, de la que es consciente. Es muy
importante que él, que no desprecia el dinero y la
fama, sino que deseó, consiguió y forzó ambas cosas, sienta el suplicio de la vida también con ellas y
no se deje seducir por una vejez satisfecha. Tarde
mueren dos de sus tres hijas y su mujer, que era una
muchacha enferma cuando se enamoró de ella.

Su manera de presentarse como un viejo bufón,
descrita por testigos, espantosa. Su vida temprana
como práctico sobre el inmenso río – ¿qué escritor
ha conocido a la humanidad de esta manera?
Un descendiente de Cervantes en sus dos figuras
principales, Tom Sawyer y Huck Finn. Un exagera-
do y un inventor, alguien que es aquello que los
escritores fueron una vez, antes de convertirse
en unos mansos.

Mucha curiosidad por su autobiografía, que aún
no conozco.

1976

Se ha mordido en el propio corazón.

Un equilibrista de la verdad.

Él sólo es condenable cuando calla. Pero cómo anhela callar y, sin embargo, seguir con vida.

Todavía el sentimiento fundamental de que nada es en vano. Pero ¿ha de ser así? ¿Que nada sea en vano?

Resulta que no necesitamos nada con *más intensidad* que ataques indignos a nosotros mismos. Justificación: que no se responda a ellos. La indignidad del ataque nos confiere dignidad.

Todas las casas de la tierra vacías. Un solo superviviente para todas las casas.

Domador de leones entre las hormigas.

Se vuelve contra todo lo que no es él mismo.

Él convirtió el patio en un desierto y se alquiló una mujer de noventa y dos años para animarlo.

Tiene una piel sucia y se cree el crucificado.
El coleccionista de reliquias de sus abrigos de paño
tirolés y sus botas de excursionista.

Por dinero echa pestes más minuciosamente.

El cazador furtivo que prefiere matar gente.

A cada gloria corresponde su propia infamia. Lo
que importa es su enormidad y no que encaje.

La respiración no es culpable. El último resuello del
ahorcado.

«The impossibility of tickling oneself.»

La noche herida: nunca más un mañana.

Cultiva piojos en vez de pensamientos, y los lleva
fielmente consigo.

Olvidó morir, tan satisfecho estaba de sí mismo.
Procuró que los demás no lo olvidaran.

Un padre que contagia a sus seis hijos con su fama y
los envía al desierto, sus chivos expiatorios.

La aversión contra los sistemas nace de una sensación de pérdida. Siempre se pierde algo cuando un
sistema se cierra. Lo que éste rechaza suele ser, lue-

go, lo más importante. El fácil manejo del sistema cuesta un precio demasiado alto. Además, las cosas se adaptan a las cajas en las que son comprimidas y pierden así su forma. Aún más importante es que, como parte del sistema, pierden su capacidad de metamorfosearse. No engendran ya, han sido emasculadas. Son únicamente aptas para multiplicaciones siempre iguales. El sistema es el que ha determinado la forma de nuestra producción. Las cosas, que como palabras independientes aún contienen vida, se han convertido en objetos. No respiran, no mueren, se quiebran.

Cartas que contestamos al cabo de años.

El provocador de motines. El dispuesto al linchamiento. La víctima vociferante.

¿No será la benevolencia con los hombres nada más que autocomplacencia? ¿Bastaría con que tuvieran una sola oreja para que disminuyera? ¿En qué medida depende esa benevolencia de que se parezcan a uno mismo?

Con los mordiscos a los que se ofrece, él alimenta su megalomanía.
    ¡Cómo sufre, qué solo está, cuánto soporta!

Una palabra que contiene todas las palabras y que no es Dios.

Que uno espere sobrevivir a todos es el pecado capital.

Muéstrame los peces *malos*, dice el niño, señala los
dientes de los tiburones y se lleva luego los dedos
a los suyos.

No es viejo, aún odia la muerte, nunca será viejo,
siempre odiará la muerte.

Un pueblo de amos, su riqueza en perros, no hablan,
ladran órdenes, sus perros responden con frases
complicadas.

Él come callos y habla al mismo tiempo de Baudelaire,
con la *Ilíada* bebe leche y ronca con Dante.

Nubes de palabras usadas, ¿qué lluvia van a dar?

Un calamar puede ser hipnotizado: posee el ojo más
humano.

Contextos inútiles, ¿para qué?, ¿para qué?
¡Olvídalos! ¿Cómo?

Un hombre muy viejo – una especie de monje jaina
que nunca ha matado. Si no matar nunca se ha
convertido en el único objetivo de una vida, ¿qué
clase de ser humano queda?
    Deseo una respuesta honesta a esta pregunta:
la experiencia de un hombre de ese tipo.

En el fondo, lo único que puede decirse en su favor
es que desconfía de los conceptos.

Todos los conceptos tienen algo anticuado. Ya en su
origen tienen algo anticuado. ¡Si pudiéramos *mor-
derlos* para verificarlos! Pero eso ni siquiera es posible.
Se atienen a otros conceptos, su única verificación y
control.
 La palabra que los define engaña: es demasiado
concreta.

Un antropólogo como criado del Nizam. Él investiga
y administra a sus más pobres.

Aburrimiento de los libros de la escuela de Anthropos.
Contemplan a los primitivos con la premisa de Dios
y además creen en el círculo.

El pulpo gigante que se llevó todo un hotel de la playa.

«Charity towards ants: in that place I saw a man
very charitable towards the ants. He carried flour
in a sack to be distributed amongst them; and left
a hand full everywhere he met with any numbers.»
                                Indian Travels of Thévenot

El benefactor temeroso.

Su juventud, que él relata, necesita tiempo para volver
a crecer. ¿Ha de perderla por completo?

En la historia de mi juventud me importa mucho cómo se va llenando de mitos.

No son pocos, y todos tenían su fuerza impresionante, y siempre perduraron los unos junto a los otros.

Ninguno de ellos cambia su forma, no se penetran mutuamente. Son siempre ellos mismos, pero están presentes todos simultáneamente.

Nombres puritanos para niños expósitos: Helpless, Repentance, Lament, Forsaken, Flie-Fornication, alguien (1644, en Somerset) es bautizado con el nombre de Misericordia-adulterina.

Una experiencia de la que uno no se ha defendido, no es una experiencia. Una consideración que no se quiere admitir, no es una consideración. Un dolor que se olvida, no es un dolor.

De la rutina del asesinato me he tenido que mantener alejado. Nunca he leído novelas policíacas. Si las hubiera leído, habría perdido la facultad de asombrarme. Todavía no comprendo *ningún* asesinato, tengo que resolver un enigma, porque es insoluble, estoy vivo.

Descubrimientos que se vuelven contra uno mismo, ante los que uno tiembla.

Gracias al elogio surgen las cosas y se disuelven en maldiciones.

Reconciliación de dos enemigos mortales ante el
amigo común muerto. Él fue el que los enzarzó.
Se ha llevado consigo su odio a la tumba.

¿Qué va a pasar si todos tienen pensamientos?

Lo personal de estos esqueletos. Me impresionan especialmente una boca abierta y los dedos de los pies.

Estremecedor e inexplicable lo que los elefantes
hacen con los huesos de sus muertos.

Podría ser que la humanidad no se extinguiera hasta
dentro de mil años. ¿Qué significarían entonces
nuestros temores?

El profesor no lee hoy periódicos. Los periódicos le
interesarán dentro de cien años.

Dos palabras están intactas para Scholem. «Judío»
y «grande».
     Todos los judíos y todos los grandes existieron
antaño. Sólo él los conoce. Sólo él los mantiene con
vida.

Irritación por las voces, por todo lenguaje hablado.
Pensé que era Viena, pero no es sólo Viena. Soy *yo*,
ya sólo soporto murmullos y no máscaras
acústicas.

Ha vivido la fiesta de su nonagésimo quinto cumpleaños. Morirá de manera *diferente*. No lo envidio. Lo admiro. Verdaderamente ha resistido. Es un mérito haber resistido noventa y cinco años de este siglo.

No me atrevo a contestar a esta pregunta, a pesar de que cada fibra de mi ser querría decir sí.

Allí pueden escoger ellos mismos su propio paraíso, hay varios. Sin duda, es una despedida, no volverán a ver a ninguno de los suyos y estarán separados de ellos para siempre, pero tienen la elección entre varios paraísos; es una elección que los preocupa durante años, a veces toda la vida.

Antes del momento de la despedida han de haberse decidido, no hay vuelta atrás. El verdadero fin de todo es su paraíso.

La idea de que los años que la ciencia calcula para la edad del Sol, de Júpiter, de la Tierra, pudieran ser exactos, tiene algo de devastador.

Claro que podemos decirnos que hay muchas cosas tan importantes como eso, con las que la ciencia aún no ha dado, de las que no sabe nada.

Dependería entonces de nuestra fantasía crear las premisas para nuevos descubrimientos, que quizá demuestren ser contrapeso de lo devastador ya conocido.

Es inútil, no tiene sentido, incluso es despreciable dar por perdida a la humanidad.

Hay una sola posibilidad de esperar hasta el último resuello una escapatoria que aún no conocemos.

Da lo mismo cómo llamemos a esa esperanza, con tal que exista.

Un libro que tiene diferentes letras para cada lector. ¿La Biblia?

Presta atención al latido del corazón de los otros. Están tan lejos.

Sus ocurrencias al hacer el saludo militar.

1977

Una vida sin sobrevaloraciones, ¡qué vida sería ésa!

El rostro del negocio: sabe lo que no suelta; otra cosa no sabe.

Entre los mohave, «el conflicto entre la añoranza de los muertos y la imposibilidad de volver a verlos si se vive demasiado tiempo después de su muerte, conduce a un número aterrador de suicidios» (Verrier Elwin, *Maria Murder and Suicide*).
  Sería *mi* razón para el suicidio, la única.

«A young woman attempted to poison herself, because her uncle would not partake of the food she had cooked for him» (V. E.).

La originalidad existe, en el fondo, desde el *momento* en que algo es comprendido. Siempre *estuvo ahí*, pero sólo cuando se comprende se convierte en algo. Pero depende también de la fuerza con que es comprendido, con tanta fuerza como si fuera estrangulado.

Éxodo de los grajos de todas las torres de iglesia.
– El cólera en Munich, julio de 1854.

No quiero saber cuándo va a darme alcance, pero *tengo* que saber a quién conservo.

He visto poco, pero ha sido verdaderamente demasiado. Más hubiera sido aún menos.

Virginia Woolf: «...when on the verge of insanity, heard the birds speaking *Greek* outside her window».

No puedo negar que me duele no ocuparme de los libros, tengo un sentimiento físico por ellos, de vez en cuando me sorprendo en diálogos de despedida con ellos. En los últimos tiempos han venido a añadirse libros completamente nuevos y valiosos, y la idea de que los he leído tan poco, casi nada, me da fuerzas. Con la mayor desenvoltura me digo en voz alta que estos libros aún sin tocar no dejarán que me vaya, y quizá es ésta su función y ya ni siquiera espero que llegue a leerlos. Una especie de penoso autoengaño se esconde en este asunto, por primera vez en mi vida tengo la sensación de utilizar los libros para un fin impreciso, y que se trate de un fin comprensible y, a la postre, nada mezquino, no arregla las cosas. Me duele pensar que los libros caerán en manos ajenas o que incluso se venderán, me gustaría que permanecieran donde están ahora y que yo pudiera visitarlos de vez en cuando sin ser visto, como un fantasma.

Me acuerdo de la historia de Mazarino, quien, quejumbroso, se despedía de sus tesoros artísticos cuando se creía a solas con ellos. ¡Qué comparación! Que no soy Mazarino es algo fácil de superar. Pero que mis libros no puedan competir con los cuadros que hoy constituyen la mejor parte del Louvre me resulta inadmisible. Entre mis libros se hallan las mayores de todas las exquisiteces, y yo, yo he vivido con ellas.

Él llegaba demasiado deprisa a sus verdades y, a menudo, se distanciaba de ellas, y entonces las castigaba por los peligros a que lo habían conducido.

Dios se mantiene demasiado *quieto*, como uno que acecha. ¿Qué?

1978

«¿Qué te importa si la gente pasa hambre?», gruñó
enfadado. «¿Acaso los sacias cuando escribes obras
de teatro sobre el hambre? Hay que llegar arriba,
hay que imponerse, hay que tener un teatro, hay
que presentar al público las propias obras.
Y luego ya veremos.»

Brecht a Bronnen
Julio de 1923

Ya no tiene lucidez. Tiene demasiada ternura.

En cada idioma decir *otra cosa*. La viuda del gran
escultor construye una casa para sus esculturas, que
coloca a su alrededor, a su precio entero.

Igualarse a los modelos, el peor pecado. También
tú lo cometiste, raras veces y por tan breve tiempo
que no cabía en un parpadeo.

Él ha perdido el amor de ella gracias a sus solemnes
protestas. Ella ansía insultos.

La *sabiduría* del sol (Posidonio).

No se extingue, se pierde en la arena.

El jadeante hipopótamo Flaubert.

Intercambiar caracteres.

«Le style sec, qui traverse le temps comme une
momie incorruptible.»

Valéry

«Eratóstenes elogia a Alejandro por no haber segui-
do el consejo de Aristóteles de ponerse a la cabeza
de los helenos y ver en ellos a sus amigos y sus familiares, y, por el contrario, de dominar a los bárbaros
como a sus esclavos y explotarlos como se explota a
los animales domésticos y a las plantas útiles.»

Eduard Schwarz

Cada niño tiene para él más valor, desde el suyo.

No quiero ofender ninguna doctrina, hay algo en su
orgullo que me resulta congenial y que me atrae, un
juego ineludible; participo en él, pero no comprendo nada.

Probar el nacer de nuevo, antes de permitir su intro-
ducción.

¡Uno que ensalza a Herodoto por su *arraigamiento*!
¡Así que todos sus viajes, su curiosidad, su inquie-
tud no fueron más que una emanación del arraigamiento!

Profesores que tienen que atribuirse *a sí mismos* el elogio máximo que hacen de otros.

Aburrimiento de la ascendencia: pobreza de la genealogía, no es rigurosa, en realidad es mucho más rica.

Suciedad como confusión.

Hay algo suntuoso en torno al número de los años. La verdad del hombre reside en que siempre vuelve a romperse a sí mismo.

Ahora sus pensamientos se llaman aforismos, un nombre como de Procrustes.

Estar sentado junto a la cama de los enfermos y creerlos salvados: lo máximo que un hombre puede alcanzar.

Gana amigos por partida doble, a los que se odian mutuamente.

Hallar conexiones propias para lo acontecido. ¿A posteriori?

Cada vez me atrae más la limitación en la invención de la propia historia.

La belleza de los hombres en su sinnúmero.

Dos clases de distracción:
por letras
por rostros.

To wallow – palabra inglesa incomparable.

Fanfarrón de la compasión.

¡Cuánto ha hablado de la Biblia! ¡Qué poco la ha
leído! *Cuando* la leía, todo desaparecía a su alrededor
y ella dominaba cada uno de sus pensamientos.
     Por eso, por eso mismo, la ha leído tan poco.

También tú has hecho como si no supieras nada y has
cerrado los ojos. ¿Dónde está el próximo matadero?

Se puede desear mucho y siempre será demasiado
poco. Pero lo que deseamos poseer siempre es demasiado.

Scho. ayer, que pretende amar a Lichtenberg desde
su niñez, que persigue una sola pregunta en lo que a
él se refiere: si exigía el hebreo o lo prohibía.

Tabas: «Los *mullahs* vestidos de negro caminan
sobre ruinas y leen el Corán. Raras veces hallan quien
los escuche. Los presentes lloran sentados en el
polvo. Muchos no han dicho ni una palabra desde
el sábado».

Un hombre al que captamos, sin tener que volver
a reconocerlo nunca más. Economía humana de la
ciudad, tremenda y por eso estimulante.

Nada es más grande que el pensar, cuando empieza
siempre de nuevo: el salto, el salto, el apartarse de la
nada, del punto muerto.

La disolución de la literatura comenzó con la renuncia al personaje. La renuncia al personaje comenzó
con la contemplación *geológica* del ser humano
como si fuera un sedimento, cada cual un sedimento
y todos los sedimentos iguales.

Vivir *sin merecerlo*. – Sentimiento inevitable para el
que ama la vida. Sólo el *amigo de la muerte* que
odia la vida se comporta como si le *correspondiera*.

Uno que considera a Lichtenberg poco «cálido».
Probablemente se refiere al calor de la digestión.
De ése carece Lichtenberg, sin duda. Esa carencia
lo caracteriza.

El que se dice: todos son mejores que yo – ¿podrá
ser mejor?
　　Cuando cada uno se dice: todos son mejores
que yo – ¿estarán todos en el camino de ser aún
mejores?

Ni un solo ser humano ha sido agotado jamás. Ni en su extrema reducción, ni en la muerte, ni en su destrucción ha sido agotado jamás un ser humano.

A las doce de la noche se sienta al clavecín y toca para sus invitados, sin que se lo hayan pedido, no demasiado tiempo; lo tranquiliza hacerlos callar.

El museo de las frases. Las horas de visita.

Musil aún estará ahí, cuando se bostece sobre Thomas Mann.

Mi pintor *ahora* es Rembrandt. Cuando iba al colegio era Miguel Ángel; Grünewald, cuando escribía *Die Blendung* ('El deslumbramiento'), y Bruegel, cuando escribía mis primeros dramas. Ahora es Rembrandt, hasta tal punto que quisiera visitar el Ermitage para ver su *Hijo pródigo*. Porque no me gusta ver a Rembrandt en Holanda, sino en cualquiera de los lugares hasta los que hoy se extiende su imperio.

Hombres con grandes sacos sobre la cabeza lo esperaban y le expresaron su agradecimiento tiritando de veneración.

«Es delicada, aunque es.»
                                        De una canción de amor abisinia

No cree ya en la palabra *tierra*, desde aquel aterrizaje en la luna.

El estilo de destrucción de la literatura moderna. Se vive todo como si ya hubiera explotado.

«What forests of laurel we bring, and the tears of mankind, to those who stood firm against the opinion of their contemporaries.»

Emerson

«We boil at different degrees.»

Emerson

Sus amigos, numerosos como las estrellas, le cerraban el camino a la nada.

«No podíamos soportar ya que tantos seres humanos entonaran un réquiem poco antes de morir.»

«No retiro nada.» – Poder decir esto en la vejez sería impresionante, si no fuera insolente.

Un libro de anotaciones. El texto viene más tarde.

Lichtenberg no me hubiera dedicado ni una palabra, y yo, yo me atrevo a elogiarlo.

1979

Pitágoras.

«Hermes le había dado permiso para elegir cualquier cosa que deseara, excepto la inmortalidad. Así había escogido el don de conservar en la memoria todos los acontecimientos de la vida y de la muerte. Todo lo que había vivido, se le había quedado en la memoria, y también después de su muerte había conservado esa capacidad de recordar.»

«También hablaba de la transmigración de su alma y de todos los animales y plantas en los que se había transformado, y de las vivencias del alma en el Hades, y de lo que las otras almas tienen que pasar.»

La *memoria* de todas las vidas como don de los dioses.

«No te comportes descaradamente frente a nadie.»

«Como dice Timaios, él fue el primero que proclamó el axioma de que entre amigos todo es compartido y que la amistad es igualdad. Así sus discípulos reunieron sus fortunas para su posesión común. Durante cinco años debían callar y seguir exclusivamente las enseñanzas de Pitágoras como oyentes, sin llegar a ver a Pitágoras hasta que no hubieran cumplido sobradamente todos los requisitos;

a partir de ese momento formaban parte de su casa y les estaba permitido verlo.»

«Dios ve todo, pero no se lo dice a nadie.»

Gitano

J.: Tiene recuerdos *obedientes*. Sus simultaneidades como higiene. (Su manera de acordarse no me gusta.)

«Es importante que resulta más peligroso ver a los muertos como muertos, que cuando aparecen vivos».

Cardano

No puedo avergonzarme del recuerdo: lo único inmortal.

Sólo cuando el recuerdo está por completo presente, tan presente que parece inventarse para él, se siente salvado.

Antaño había un futuro. Se desintegra. Se desintegra antes de que él pueda examinarlo.

Empieza de una vez a plantear las preguntas a las que nunca llegarás a responder. Lo has evitado durante demasiado tiempo.

Se lo organiza de modo que ya no conoce a nadie. Abandona los viejos lugares. No abandona los libros, todavía habla con los libros. Ellos no le dan miedo, enigma tras enigma; no teme a los libros, que dicen cosas tan indeciblemente *diferentes*.

Suceder, suceder, ¿qué puede suceder mientras viva algo que conocemos tan bien?

Necesita lugares, de los que no está seguro; son para él los lugares más importantes.

Qué inseguridad, cuando se vivía sin teléfono. No se sabía nada durante mucho tiempo. Y sin embargo, la preocupación por otros seres humanos no ha disminuido. Quizá incluso es mayor, ya que crece con cada llamada infructuosa. La muerte es tan rápida como una llamada.

La inmediatez de la comunicación recuerda en todo momento a la muerte. Lo que debe tranquilizarnos se convierte primero en sobresalto.

Y si te despojaras de todo, de todo el lastre de la vida pública de este tiempo, como ha pasado a formar parte de ti – ¿qué quedaría de ti? ¿Mucho? ¿Algo? ¿Nada?

¿Acaso puede él abandonar su obsesión más antigua? ¿Es incluso capaz siquiera de imaginarse una vida sin ella? ¿Puede desearla?

Así la comunicación en sí se ha vuelto una finalidad absoluta. Él se siente obtuso y deprimido cuando no se ha dicho nada a sí mismo durante un rato, y sea lo que sea lo que se dice entonces: lo tranquiliza, como si fuera un conocimiento o una revelación.

Es difícil creer en la transmigración del alma.
¿No será todavía más difícil creer que no se volverá jamás?

Le arrancó las pestañas y las cejas y la devolvió a su marido con el rostro desnudo.

«Al anciano le está permitido apartar su corazón y sus pensamientos de aquello que es el mal absoluto» (François Mauriac).
    (Si fuera verdad, si fuera verdad, ¡con qué intensidad loca lo desearía!)

«Aborrezco todo cambio de las estaciones.»

Metternich a la condesa Lieven

El anciano se lanza a la etapa más activa de su vida.
Al recuperar la memoria el anciano se tambalea.

Él ha procurado tener interrupciones. Su espíritu se ha conservado lozano.

Algunas cosas las escribimos únicamente para incrementar la vida en este mundo.

«Les morts eux-mêmes, dit-on, souhaitent d'être nombreux.»

Madagascar

No puedes estar con los hombres. No puedes estar sin los hombres. ¿Cómo has de estar?

La famosa hospitalidad de los masaliotas:
«Cuando los amigos se separaban, intercambiaban préstamos en dinero, que había que devolver en el más allá.
»El que tenía la intención de suicidarse, debía pedir permiso a los senadores; si sus razones eran convincentes, recibía gratis la cicuta» (Momigliano).

Una pieza de teatro que corresponda a la situación del mundo *hoy*. ¿De qué debería tratar?
De la respiración desasosegada.

Almohadones de fama para asfixiarse.

«Una mujer se hallaba en misa, sintió angustia y se marchó a casa… Allí habían atado a un niño a un banco y querían sacrificarlo con un cuchillo. Desde entonces no permitían a los niños mirar cuando sacrificaban un animal.»

De la tradición popular de Bosco Gurin

Arno Schmidt ha muerto. ¿De obstinación?

Grand Old Man, en un cajón.

Un Amazonas de escrúpulos.

Un éxodo como después de la última guerra, los vencedores necesariamente expulsan. – La victoria como crimen.

En las carreras de caballos griegas se coronaba con laurel al animal ganador, no al jinete.

El olvidado oye que lo llaman.

El criado en el centro de la tela de la araña, ella personalmente se mantiene alejada.

«En las minas de carbón, a cientos de metros de profundidad, los caballos de Koplowitz tiraban de los vagones cargados de carbón hasta las jaulas de extracción. En estas jaulas eran bajados los animales jóvenes al interior de la tierra y salían cuando eran viejos o inválidos. Chillaban asustados por la repentina claridad, algunos se volvían ciegos.»

1980

Lo mezquino de la memoria.

¡A cuántos no los leemos simplemente porque los conocemos! Y sin embargo, ¡a menudo apenas existe relación entre lo escrito y el escritor!

La perseverancia de Flaubert: atado a su propio lugar, a su casa, pero con los sueños de destrucción de Madame Bovary.

De la intimidad nace otra cosa. En el recuerdo la brutalidad se disuelve. El odio gana gracias a sus contornos.

Se paga mucho por la falsa pintura de la felicidad.

El pensador frontal.

¡A quién debemos resultar aceptables!

El doble reproche del idiota: que has permanecido desconocido hasta casi la vejez; que ahora, en la vejez, eres conocido.
Mi reproche a mí mismo sería más sencillo: que el libro contra la muerte aún no existe. Éste

sería un reproche muy fuerte, quizá un reproche devastador.

«De ceux qui ont une âme visible.»

Joubert

Subir y volver a bajar del tiempo.

La vergüenza de tus oídos.

Lo que has descubierto sobre la masa es más *cierto* de lo que podías suponer entonces.

¿Son los animales ya felices con niños? ¿Y qué es esa felicidad? ¿En qué consiste? – Consiste en que es la misma, que se la conoce y, por eso, se la tiene por la misma. Un reconocimiento presuntuoso.

Pero también consiste en que el niño no quiere volver atrás en ningún caso. «¿Quieres volver al jardín de la infancia?» (la niña va ahora al segundo curso de enseñanza primaria). Sacude enérgicamente la cabeza. En ningún caso. No quiere volver atrás.

Al hacer como si hubiera muerto, será olvidado por la fama.

Cumplir setenta y cinco y publicar en el mismo momento la historia de los primeros años de la propia vida. El método infalible para hacerse el muerto.

Cuánta gente está orgullosa de él. Él, no.

Mucho tiempo sin leer a Lichtenberg, mucho
tiempo sin leer los diarios de Hebbel. Sensación de
empobrecimiento.

Una cabeza como del tiempo anterior a las cabezas.

El primer encuentro con las ideas de Platón a los
quince años y la aversión imborrable por ellas aun
después de sesenta años.
 Excluirlas de la historia de mi juventud.

Siendo ya muy viejo cambió de lenguaje y empezó
de nuevo.

Les dio las gracias a todos por sus años, temeroso,
como si se los debiera a ellos.

Un luto más *discreto*, más *casto*, ¿no podría
rescatar más del muerto?

La característica del afligido: ¿se lo evita o se lo
respeta?

Saca a la palestra a cada uno, verdaderamente a
cada uno. Insúflale aliento. Dale sus palabras.

Verdades a las que uno no se ha atrevido. Han quedado detenidas en una especie de antecámara del
infierno.

El pionero: procura que a la izquierda y a la derecha se alcen altos muros.

Para que lo dejen solo, hace como si temblara.

Maravillosa anotación de Schönberg:

Esbozo de testamento
«Pero es diferente: los hechos no demuestran nada. Y el que se atiene a los hechos, no irá más allá de ellos, a la esencia de las cosas. *Yo niego los hechos.* Todos, sin excepción. Para mí carecen de valor; porque yo me sustraigo a ellos antes de que ellos puedan arrastrarme» (fragmento de 1907).

Emplear a idiotas como consejeros ficticios.

Leído un libro con numerosas reminiscencias sobre Rathenau.
  Ser judío es peligroso, despierta una ambición equivocada, la de al menos *parecerlo.*
  La obsesión máxima de Rathenau era la de ganarse a los hombres; su fe religiosa era la fe en la organización.

No creo que no esté realmente marcado por mi condición de judío.
  Al contrario, me ha obligado a desconfiar de *cualquier* estrechez.

Ha tardado ocho años en empezar a comprender que hay un niño. Gracias a la realidad de este niño ha vuelto a ser un ser humano.

La carta *fraccionada*, escrita a trozos durante meses, por fin inacabada.

El agradable momento en que un odio deja de existir.

Vivo entre muchos libros y extraigo una gran parte de mis ganas de vivir del hecho de que aún *leeré* la mayoría de ellos.

La formación completa me resulta insoportable. Entre libros se camina con muletas.

Leer la Biblia – con medida. Es demasiado seductora.

Una escena con columnas que se resquebrajan.

Excitado, pasea por el parque zoológico e intenta reunir sus fragmentos.

Él me constituye. No sé quién es. En ningún caso lo llamaría Dios.

Desde que he dado las gracias, oficialmente por así decir, a aquellos a los que debo gratitud, ha aumentado mi aversión a la familia.

¡Qué poco piensa! ¡Cuánto produce! Siempre que se le presenta algo para pensar, produce rápidamente algo y lo evita.

La idea de los horrores que le esperaban quizá le aligeraron el dolor de dejar atrás a sus seres humanos. Lo que le esperaba era mucho peor que todo lo que pudiera sucederles a ellos.

Nada es más interesante en los hombres importantes que sus prejuicios. Éstos son sus verdaderas casas y habitaciones, que no abandonan por nada; o son sus conchas de caracol, en las que se refugian apresuradamente.

El orgullo español, y luego lees lo que los españoles hicieron en América del Sur.
De qué pasado puede estar nadie orgulloso.

Va por ahí con los ojos cerrados –sin que se le note– para oír mejor. Cuando oye *muy* bien ve, de pronto, aquello ante lo que ha cerrado los ojos en una dimensión gigantesca y se asusta mortalmente.

Intento de organizar una vida de modo que se pueda morir en ella varias veces. Retorno *comedido*, no ruidoso.

Es casi imposible escribir el libro contra la muerte porque ni siquiera sabes dónde has de empezar.

Es como si hubieras recibido el encargo de escribir
todo, absolutamente todo, sobre todo.

No es necesario conocer a todos los grandes autores,
siempre que se conserve viva la expectación ante ellos.

Nombres que mantenemos a distancia toda una vida
porque son demasiado grandes. No nos atrevemos a
enfrentarnos con ellos. Los dejamos sin desempaque-
tar y temblamos ante su contenido.

Relatar, relatar interminablemente, así debías haber
pasado tu vida. En cambio, has inventado mil subter-
fugios para no hacer, precisamente, eso.

Le gustaría estar de nuevo en todos los lugares donde
estuvo, en cada uno de los lugares que conoce bien,
pero pasando inadvertido.

¿Es un cumplido para ti cuando se dice que la historia
del paralítico en *La antorcha al oído* es una invención?
Qué más quisiera yo que haber inventado algo así.

Pensamientos que se muerden la cola equivocada.
Los buenos pensamientos terminan como una boca
abierta.

Escribir una nueva historia de mi vida, como si
hubiera nacido en la Provenza, en Aix.

«Sch. se siente verdaderamente como un órfico. En otro tiempo preparó seriamente con otros el plan de curar a Nietzsche de su locura en Weimar bailando a su alrededor.»

Ludwig Curtius

«No hay imagen de la miseria humana más estremecedora que la imagen de un ahorcado. Apenas pude soportar la escena, y cuando por un interés puramente histórico pretendí ver también a los ahorcados frente al Ministerio de la Guerra, donde había alineadas cinco horcas, me puse tan malo que me alejé rápidamente.»

Ludwig Curtius, «Lebenserinnerungen»

Nuevo saber, para recalentar lo viejo en él.

La felicidad de Musil como escritor, aquello que lo eleva muy por encima de Thomas Mann, por ejemplo, es su independencia de la música. Claro que lo que en él sustituye a la música es de una felicidad dudosa: Nietzsche. Al menos es Nietzsche *sin* Wagner.

Una palabra que nunca utilizamos nos asalta con violencia irresistible.

¡Qué ridícula parecerá dentro de cincuenta generaciones nuestra preocupación de hoy! Sólo a las generaciones que ya no existan no les parecerá ridícula.

La propagación del Antiguo Testamento en la Inglaterra del siglo XVII es uno de los fenómenos más excitantes que conozco, y aún hoy no he terminado de asimilarlo.

Detención de un hombre centenario. No está registrado en ninguna parte.

Musil me fascina por una clase de uniforme. ¿Habría que definirlo como el uniforme de la claridad?

El último mes museal de mi vida. Estuve todos los días en Dahlem y mientras J. G. investigaba sobre las debilidades de la vejez, yo contemplaba temblando de felicidad las velas de los Mares del Sur.

Su nombre en los periódicos se le atraviesa en la garganta como una espina.

Progresó. Se volvió inmortal. Ahora puede volver a ser mortal.

No volverá a sentarse. En pie, protesta contra la miseria del mundo. Su huelga de hambre: no volver a sentarse jamás.

La historia de mi vida, que seguramente se valorará como una de las obras de mi vida, ha sido escrita por la *avidez de la vejez.*

Durante la mayor parte de mi vida he conseguido evitar la avidez de la vejez, que es un patrimonio de los judíos. La he dejado en cualquier parte, a la derecha o a la izquierda del camino, y me he dedicado a cualquier otra variante de la avidez de la vejez. Sólo recientemente, hace nueve años, cuando estaba en juego la vida de Georges, eché mano de la avidez de la vejez que me corresponde, como de una medicina, con cuya utilización podría salvarlo. Desde entonces me he entregado a ella por completo. El resultado aún es pobre, incluso si se abstrae del objetivo primero de salvar una vida, y se contempla lo surgido por esta vía como simple obra. Sin embargo, cosas que aún están bloqueadas podrían haber madurado mucho más, pero cuando haya derribado las resistencias recién levantadas todo será posible.

¿Qué se agotará antes, los animales o las historias?

El que se ha convertido en compasión: ¿cuán fuerte sigue siendo su necesidad de castigo?

Todo resbala por él, incluso el acero de sus asesinos.

Una ciudad que te fue regalada. El escritor Franz Nabl. Así deberíamos tener en cada ciudad un escritor como huésped.

Las memorias de un conde son diferentes. La emigración se convierte en propiedad feudal.

Mi amigo, el judío: pretende obligarme a volver a ser lo que todavía soy, en última instancia, por orgullo.

Los familiares desconcertados. ¿Qué remedio les queda? Compran el libro al por mayor.

Sus «discípulos», sus representantes: su sopita rancia.

De buena gana sería caritativo. Para ello incluso estaría dispuesto a ser rico.

Amigos en cada país, la mayoría desconocidos, y entre ellos muchos que son más claros, mejores y más escrupulosos que tú.

Él no es capaz de pensar nada que no esté sostenido por un *sentimiento*, no importa cuál, pero tiene que ser un sentimiento. Resulta que en su vida bastante larga no ha habido ni un instante, ni el más breve, sin *sentimiento*.

Sin la menor duda, lo que más odio en este mundo es un *periódico*, pero no como Karl Kraus. No por las erratas, sino por la *oferta* y la *miseria* como *vecinas*.

El enemigo escupía en la dirección equivocada. Él se interpuso en el camino del enemigo, pero éste siguió escupiendo en la dirección equivocada.

Los fragmentos *artificiales* son una locura, como los diarios artificiales. Un pensamiento no ha de ir más allá de su fuerza. No ha de nacer muerto y, sobre todo, ya que vive, no ha de gritar y patalear inmediatamente.

En una vida considerablemente larga no he permitido que me tocaran y destruyeran las palabras. Una especie de inocencia me salva de poner en tela de juicio las palabras, aunque sé muy bien lo que se ha dicho contra ellas y cuánto de todo eso se ha recogido y confundido.

Quizá sea eso lo que me queda de la fe de la Biblia, la fe en las palabras.

El goteo del techo, como una restauración de aquella existencia precaria que viví entonces con Veza. Quizá la gente de aquí descubra después de la desgracia del terremoto en Italia cuánto les gustan los italianos.

No te propongas nada, entonces vendrá por sí mismo.

En la adversidad se leía mejor, era lo único que se tenía.

Se toma todo en serio, menos a sí mismo.

Ha conseguido inventar animales. ¿Qué pueden importarle ya los seres humanos?

¿Qué ha pasado contigo? ¿Tienes miedo de Dostoievski?

Un pueblo como mojón del fin de año. Una vez al año pasa en coche por allí.

Ulises no puede concluir. De nuevo en casa tiene que seguir inventando historias.

Dice que nadie sabe dónde está él, porque él mismo no quiere saberlo.

Quien tiene un hijo *vale más*. Eso no lo sabían los filósofos. ¿Hay un solo filósofo de los grandes que tuviera un hijo y fuera digno de él?

¿Podrías olvidar todo lo que has descubierto sobre el poder y volver a empezar a pensar desde el principio? ¿Y obtendrías mejores resultados? Estos pensamientos nuevos y diferentes, ¿servirían para algo o serían tan inútiles como los anteriores?

Los emplazados nació de un impulso que duró año y medio. ¿Cómo podrías haber escrito jamás algo más serio?

Sigo sin saber por qué se ama a un hermano más que a cualquier otro hombre.

Incluso en esta exposición china, que es lo más espléndido que pueda imaginarse, lo ha conmovido sobre

todo la representación de la muralla china que
conoce desde que tenía diez años.

Para dormir se cuelga de sus orejas.

Nunca he podido soportar a Sartre. Es un producto
espantoso de la formación francesa.

Lo que me impresionó tanto en la función de
Le diable et le bon Dieu en París, y que quizá tuvo
alguna influencia escondida en *Los emplazados*,
fue Pierre Brasseur y no la pieza. Aparte de esto,
nada de Sartre me ha importado nunca. Encuentro
opresiva su verborrea conceptual.

Si se puede llamar tonto a quien cae una y otra
vez, y por completo, bajo el hechizo de los conceptos, yo diría también que es tonto.

El tiempo *entre* las horas, el tiempo recuperado.

Dos clases de hombres: los reacios a la confesión
y los confesantes apasionados.

El cielo como tamiz. Un mundo bajo un cielo así.
El tamiz celestial cambiante según el comportamiento de los seres humanos.

Le parece que este mundo se alimenta enteramente
de alondras.

El nombre que se confirma demasiado a menudo,
el nombre disminuido.

Fue bueno que vivieras aquella humillación del
nombre, cuando escribiste tu nombre mil doscientas
veces y el fotógrafo sonriente delante de ti hacía
una instantánea de cada firma.

Te pusiste enfermo después, estuviste enfermo
durante semanas, con náuseas en el nombre,
que quería vomitar.

Ahora sabes lo poco que soporta un nombre,
que es más orgulloso y sensible que un hombre.

«Le moi est presque toujours mais pas toujours
haïssable.»

¿Por qué despierto tanto odio en los hombres cuando ataco a la muerte? ¿Están acaso encargados de
su defensa? ¿Conocen tan bien su propia naturaleza
asesina que se sienten *ellos mismos* agredidos
cuando ataco a la muerte?

Si pudiera demostrarse que la conjunción del
pensamiento griego y del fanatismo del monoteísmo
bíblico ha empujado al mundo a este calamitoso
camino, si fuera imaginable que *otra* conjunción
habría sido más afortunada, entonces la ley de
nuestro destino se hallaría en el misterio de la
conjunción. ¿Qué coincide cuándo con qué?

El futuro de la tierra, si es que todavía tiene uno, dependerá de quién invada totalmente a quién con su espíritu, nosotros con el nuestro a los chinos, los chinos con el suyo a nosotros. En la actualidad, nuestro espíritu avanza constantemente entre ellos – también en todas sus luchas internas.

Su taoísmo se ahoga en *nuestro* culto de la producción.

A nadie se le ha ocurrido seriamente la idea de que podríamos salvarnos gracias a lo esencial que los chinos podrían dar.

Pensamos y actuamos en unidades de destrucción y los obligamos también a ellos a actuar en esas unidades.

Su imagen del hombre se desvanece, incluso entre ellos.

El que lucha por conservar la fama está perdido. Lo que importa es la eficacia de las ideas, nada más.

Lee muy despacio lo que más significa para él, distribuido a través de los años, a veces en dos, tres años, no más de una página. No ha de agotarse, debe quedar algo, siempre, ha de brillar en la oscuridad, antes de entrar en ella.

Repartir un espíritu, una frase para éste, otra para aquél, y con cada frase repartida hay más que antes.

Oráculo en el parloteo de un niño.

Le importa infinitamente tener a su alrededor el universo de la vida. No le importa menos que la mayor parte aún esté por leer.

Él es capaz de un odio asesino, y es indeciblemente difícil no dejar que note nada de este odio aquel contra quien está dirigido. A diferencia de Karl Kraus, el odio se ha convertido, en su caso, en una especie de ocupación principal.

De cada daño que sufren los que amamos brota un mar de ternura.

1981

¿Qué es lo que me emociona aún hoy en el odio de Veza, en cualquiera de sus odios? ¿El fuego de sus ojos, que podían matar, quiero decir, que podían literalmente matar? La certeza de que su odio era el reverso de su fe, que nadie podía creer como ella, y que comparada con su fe cualquier otra fe era superficial, despreciable y nula.

¿Se asoma a las ventanas? ¿En qué casa se ha refugiado?

El tratante de ganado lo levanta sobre el pavés.

Como propina: su carácter.

En él no hay nada, absolutamente nada, pero precisamente eso es atacado «por la izquierda».

Es necesario, de vez en cuando, soportar la vida sin misión.

Un mequetrefe sonriente se ofrece para golpear y para saludar militarmente.

Su odio a sí mismo, que sólo surge en público.

Estoy dispuesta, dijo ella, y se lanzó a sus fauces.

Agarró las antípodas y las puso de cabeza.

El maestro que sólo desea volver a ser aprendiz,
nada más que eso, nada más.

«El que ha aprendido a angustiarse de verdad, ha
aprendido lo más elevado.»

Kierkegaard

La fascinación por los animales perdura. Con la
edad y, sobre todo, desde que hay un niño (también
por darle gusto), ha ido en aumento. Más sueños
con animales. Últimamente en el sueño, los ratones
diminutos, que corretean por la alfombra en oleadas, ocho o nueve de ellos unidos a cierta distancia,
uno, el último y más pequeño, *blanco*, más próximo
a los otros, más controlado. Se lo enseño a H. y
digo: «Está ciego. El ratón blanco está ciego.
Los otros lo llevan consigo». El sueño pasa a otras
cosas, pero vuelve una y otra vez a las oleadas de
ratones y al ratón más pequeño, blanco y ciego
que llevan consigo.

Una ofensa tiene valor exactamente en la medida en
que te obliga a reflexionar.

Al final nadie encuentra el camino hacia la austeri-
dad del principio.

El crítico como puente de los asnos: todos lo entienden, pero él no entiende nada.

Lo más inconcebible para mí era la gente que nadie necesita. La hay, siempre la ha habido, y yo nunca he podido aceptarlo.

Alguien que vuelve, pero sólo cuando él quiere. Si lo esperan, tarda más en comparecer. Si no se cuenta con él, ya está ahí. Se acerca corveteando para que no lo esperen.

Nombres acostumbrados, que de pronto nos suenan tan extraños que dudamos de su autenticidad. Así me preguntaba yo hoy seriamente si el hombre de Tiana se llamaba de verdad Apolonio. Cuanto más natural me parecía Apolo, más raro me parecía Apolonio, hasta que lo miré. Ni siquiera las letras impresas que debían convencerme me parecieron seguras.

Desde que él se quejó de la amargura de los diarios de Hebbel no puedo tomarlo en serio.

Debo encontrar a Sonne como fue realmente, no debo inventarlo. Pero ya que se ocultó sabiamente, ¿cómo voy a encontrarlo?

Que los científicos tengan que glorificarse mutuamente tiene que ver con su dedicación.

Se puede decir otra vez, *con toda inocencia*, «existe» sin necesidad de explicarlo inmediatamente por extenso en mil páginas.

Las almas de los explotados.

«Ya que, como dijimos, la naturaleza no miente» (Schopenhauer). ¡Qué afirmación! La naturaleza miente sin medida, nosotros hemos recibido la mentira de ella, nada es más natural que eso, mentir.

República de las plataneras.

Allí cada cual puede olvidar por completo quién es un año antes de su muerte, y llevar una vida totalmente nueva e inesperada.

De los votos fundamentales del padre de familia jaina:
Primero, no ha de destruir vida alguna ...
Quinto, limitar sus posesiones.
Sexto, hacer un voto siempre válido y diario de que *sólo caminará en determinadas direcciones y sólo hará determinados recorridos.*

«El período mundial actual de los jaina comenzó en tiempos remotos con la época Sushama-sushama. Entonces reinaban la felicidad y la alegría; los hombres eran de una belleza extraordinaria y vivían en paz y en armonía, todos iguales en rango, sin reyes ni leyes.

Su vida transcurría entre juegos y diversiones; no estaban obligados a trabajar porque "diez árboles de los deseos" les daban todo lo que necesitaban. La vida de los hombres era infinitamente larga, el desarrollo de los niños era tan vertiginoso que a las siete semanas de nacer eran capaces de disfrutar del amor. Entonces nacía siempre un niño al mismo tiempo que una niña y estas parejas de mellizos permanecían unidas en matrimonio durante toda su vida.

»Al cabo de otras cuatro épocas, incluida la que ahora vivimos, empezará el período Duhshana-duhshana. En él los hombres no llegan más que a los veinte años; acosados por los insectos, viven en cuevas que se atreven a abandonar únicamente al rayar el día y al anochecer, porque el gran calor del día y el terrible frío de la noche les impiden estar en el exterior. Se alimentan de peces y sapos, que tienen que comer crudos ya que han olvidado el uso del fuego. Esta época atroz, en la que se pierde toda norma humana, dura veinte mil años.»

¿He sido injusto con los historiadores, me he vengado en ellos de los *acontecimientos*? ¿Los he cargado *a ellos* con la responsabilidad del poder sobre el que escriben?

Es cierto que en general estuvieron cegados por él. Pero ¿cuánto han contribuido realmente a él? ¿Debería investigar esta cuestión más a fondo antes de mantener mi vieja acusación?

Porque podría ser que algunos historiadores quisieran conservar aquello que los poderosos han destruido.

Más y más se piensa en lo que queda de uno mismo, y uno desearía *desenvenenarlo*.

Cl. rodeada de hermanos, su destino determinado por todos ellos.
   Si no tuviera ninguno – ¿sería libre? ¿O tendría que inventarlos para justificar su falta de libertad?

«Yo», pero cada uno algo diferente.
«Yo», y cada uno lo mismo.

Un hombre de aturdimiento y elevación.

El rumiante ingenioso: olvida lo que tiene en la boca.

Él odiaba a todos; sin embargo, se asombra de tener enemigos.

«El desierto es el jardín de Alá, del que el Señor de los creyentes ha eliminado toda vida humana y animal superflua, para que haya un único lugar en el que él pueda pasear en paz.»
                                                        Frase árabe

Si hay algo que pudiera justificar la aparición
y el empleo del poder sería la creación de una nueva
forma de poder *ahora*: la del poder de la
prevención.

No hay que confundirlo con el viejo poder de la
prohibición. Éste ha fracasado. Pero hay que anali-
zarlo a fondo para que comprendamos en qué ha
consistido su insuficiencia. La prohibición es mezqui-
na y, además, se ha vulgarizado. Sirve para todo,
cualquier respeto ante ella se ha volatilizado.

El poder de la prevención tendría que preservarse
espacio. Para el poder de la prevención es necesario
el conocimiento. Ha de renovarse continuamente.
No se deja manejar automáticamente. Contiene una
negación de la muerte y extrae de ella su fuerza.
Cualquier extensión del ámbito de la muerte despierta su alarma.

Jainism. «At present the world is rapidly declining.
The process of decline will continue for 40 000 years,
when men will be dwarfs in stature, with a life of
only 20 years, and will dwell in caves, having forgot-
ten all culture even to the use of fire. Then the tide
will turn, and they will begin to improve again, only
to decline once more, and so on for all eternity.
Unlike the cosmology of the Buddhists and Hindus,
that of the Jainas involves no cataclysms of universal
destruction.»

«Souls are not only the property of animal and
plant life, but also of entities such as stones, rocks,

running water, and many other natural objects not looked on as living by other sects.»

«When the soul has finally set itself free it rises at once above the highest heaven to the top of the universe, where it remains in inactive omniscient bliss through all eternity. This, for the Jainas, is Nirvana.»

«Jainism never compromised in its atheism, and there was no development comparable to the Great Vehicle in Buddhism. Jainism has survived for 2000 years, on the basis of these austere teachings alone.»

«To attain Nirvana a man must abandon all trammels, including his clothes.»

«The universe is now rapidly declining, and no souls now reach Nirvana or have any hope of reaching it in the foreseeable future, so in these degenerate days clothes are worn as concession to human frailty.»

«The regimen of the Jaina monk was strict in the extreme. At his initiation his hair was not shaved, but pulled out by the roots.»

«Five vows: abjuring killing, stealing, liying, sexual activity and possession of property.»

«Jaina monks usually carried feather dusters, to brush ants and other insects from their path and save them from being trampled underfoot, and they wore veils over their mouths, to prevent the minute living things in the air from being inhaled and killed. In its insistance on ahimsa Jainism went much further than any other Indian religion.»

«Los bueyes mueren prematuramente bajo un yugo
de madera deformado, los burros se desmoronan
con el lomo ensangrentado bajo sillas de carga excesivamente grandes.»

«…la torrencial música medular del mago sajón.»
Musil

¿Hay algo más aterrador que ir con su tiempo?
¿Hay algo más mortífero?

«Investigar», dice, y se refiere a tumbas.

Ha conseguido, hasta una edad muy avanzada,
evitar a los filósofos.

De buena gana hubiera sido algo de lo que no soy:
francés, italiano, griego; sobre todo, chino.
   Pero en ese caso quizá hubiera tenido aún menos
tiempo.

Entusiasmo por el viaje de Darwin: una variante del
viaje de Humboldt; en el tiempo del viaje a bordo
del *Beagle*, Humboldt aún vivía. Darwin *vivió* cinco
años, después se dedicó sólo a pensar y a escribir.
Las consecuencias.
   Lo que más me impresiona en Darwin es su
contemplación de las cosas, es decir, el tiempo de su
viaje, esos cinco años, durante los que tomó nota

de todo. Lo que pensó luego sobre ello es prudente y concienzudo, pero en absoluto profundo.

No son los pensamientos más profundos los que actúan más duraderamente sobre el mundo.

El coleccionista de revistas se abre camino entre montañas de ideas y se alegra cuando encuentra lo contrario del día anterior.

G. decidió no conocer a nadie que haya muerto.

Cien mil frases para una posteridad desintegrada.

Tener más experiencia de otras vidas en sus detalles. Si no, ¿cómo vamos a saber algo sobre nosotros mismos?

El hipócrita y su abominación de la línea recta.

Intento desolador, dar un *sentido* a los millones de formas de la vida.

Los críticos que se precian de serlo buscan desesperadamente *objeciones*. Nada ha de parecerles bien sin tener algo que objetar en su contra. Creen que su objeción es su agudeza, lo que los legitima.

Acogida de refugiados:
Ginebra, con dieciséis mil habitantes, acogió

después de la noche de San Bartolomé a cuatro mil refugiados, durante diez años.

Basilea, con veinte mil habitantes, dio durante la guerra de los Treinta Años cobijo a siete mil seiscientos refugiados.

Berna, en 1685, después de la abolición del edicto de Nantes, dio asilo a seis mil refugiados durante quince años, y puso a disposición de los extranjeros una quinta parte del presupuesto del estado.

Lectura con la que uno se esfuma. Lectura con la que uno se apaga. Lo diabólico de la repetición
– no es tal.

1982

Sísifo, que empuja dificultosamente las palabras.
Pero vuelven a caer sobre él.

Él hizo pedazos su ataúd y puso en fuga a dentella-
das a los deudos.

En Darwin ya no me interesa nada su doctrina, sino
cómo llegó a ella.

Mi historia de amor con Inglaterra empezó hace
setenta años. Se interrumpió pronto y varias veces.
Ahora revive de nuevo.

Delacroix en una carta a Stendhal: «Quel dommage
qu'on ne se rencontre pas! Le jour, c'est impossible.
Le moindre être humain dans mon atelier me décon-
certe dans la journée. Vous autres qui pouvez tra-
vailler la nuit, vous êtes bien heureux».

Se dejó alargar la lengua suelta y luego la fijó con
clavos.

Derramó lágrimas por el amigo cuyo nombre había
olvidado.

Te reprochan que no hayas denigrado a tu padre y
a tu madre o que, al menos, no los hayas desnudado.
Te reprochan respeto, veneración por los muertos,
agradecimiento.
     ¿De qué iban a estar agradecidos los nadies?
¿A quién tendrían que respetar que no les dio nada?
¿A qué muertos tendrían que recordar que se
alejaron de ellos asqueados?

Se agota con el peso plúmbeo del futuro.

El que acaba de estar con Dostoievski se siente muy
menesteroso. Sin embargo, lo poco que uno ha hecho
no ha sido más que resistir a Dostoievski.
     Dostoievski me ha librado de los «paisajes».

Retorno del recién bautizado entre los paganos.

El que dice no, orgulloso de su ingenio, no rima con luz.

Lee todos los periódicos y produce con ellos un embu-
tido medio fácilmente digestible.

Nada se pierde. Incluso George Sand se ha conservado, en Dostoievski.

La casa de los muertos casi termina en un tono
conciliador, el comandante malvado es denunciado
y destituido, las condiciones generales mejoran,
el individuo se libera de sus cadenas.

En Rusia Dostoievski se adapta, pero salva su rebeldía gracias a un viaje a occidente.

Lo odiaba tanto que lo veía como un retrato de Francis Bacon.

Los cómplices que *saludan* al desastre.
Que pueda decirse: «¡Está bien así, porque yo no estaré aquí para verlo!».
Los empleados de la muerte que escriben un libro tras otro para justificarla.
Se necesita un poco de esperanza para poder atacar. También es esperanza que también otros se defiendan.
«Cuando yo no esté aquí, no quiero que estén otros.»
Amor a sí mismo y amor a la muerte. Su relación está por explorar.

El argumento principal en favor de la muerte: el aumento vertiginoso de los seres humanos. Parece que Malthus ha tenido razón, incluso después de su influencia sobre Darwin. Pero como hoy *todo* está amenazado de destrucción, Malthus no ha tenido razón.
Esto es lo que ha cambiado desde los tiempos de Malthus. Entonces una catástrofe universal era impensable.

Ya no estás obsesionado con la masa. Ya no te empeñas en inventar recetas para su buen comportamiento y su bienestar.

Estás más obsesionado que nunca con la muerte. La muerte en masa ha absorbido para ti a la masa. Tu propia muerte ya no es más que indiferente. Está absolutamente claro que es únicamente cuestión de la muerte en general.

Tu aversión al *sacrificio* en las religiones, empezando por el sacrificio de Isaac por Abraham, es una *desconfianza*. Una muerte se carga en cuenta y se ratifica. Se introduce su repetición y se desea.

Sacrificio de insectos. Quema de hormigueros.

Es fácil combatirte. En cuanto reconocemos la situación desesperada de un enfermo grave, todo lo que se hace por él parece un despilfarro sin sentido, arrancado a los vivos. En este campo de batalla pensamos cuando hablamos del combate contra la muerte. Pero no es en absoluto esto a lo que yo me refiero. Yo me refiero a una *convicción* equivocada, que se encuentra especialmente también entre los que están sanos, una división entre la vida y la muerte, como si ambas tuvieran los mismos derechos. Esta convicción es la que concede a la muerte el prestigio de la vida. La equiparación de ambas es una falsificación que se alimenta de esa clase de creencia que atribuye a la muerte más y más vida. No sólo se teme su cólera, se intenta prevenirla y se confiere y regala vida a los muertos. «¡Allí estáis vosotros! ¡A cambio dejadnos a nosotros estar aquí!» Para convencerlos de cuánto nos alegra

saberlos allí, hacemos de ello algo especial, cargado
de vida. Les otorgamos vida, a través de nuestra
veneración.

Ciempiés – ciempreguntón.

Ya no digas nada más a nadie, enmudece.
¿Puedes vivir y, sin embargo, enmudecer? ¿Cómo?

El dolor de hablar. Hablas sin escucharte a ti mismo.

Caracteres amenazadores – una clase de futuro.

El cielo enmohece.

Me hablan de un joven sinólogo que ha llegado
a serlo gracias a Kien.

A quién creer: cuestión clave de toda vida. Mudanza
en el curso de una vida. Mudanza en el tipo de los
hombres en los que creemos. Desgaste de los anteriores, en los que creímos.
    ¿Con qué rapidez y por qué se desgastan los ins-
piradores de fe? En parte depende de cuántos creen
aún en ellos. Pero también hay transformaciones
en el equilibrio de fuerzas de la fe, que no dependen
de los muchos.
    Creencias a las que se les acaba el aire (también
podríamos decir: las palabras). Marchitamiento o
asfixia de la fe. Creencias que se insinúan más tarde

y poco a poco. Oímos algo durante mucho tiempo, sin escuchar. De pronto, oímos eso mismo y tiene un sentido. ¿Cómo se produce ese incremento de sentido? ¿Por la repetición o por el transcurso debilitador del tiempo vital? Enseñanzas, experiencias, informaciones nos abren a reflexiones razonables, que no son excesivamente penosas, y nos llevan a pensar sin odio en lo más monstruoso, la muerte.

Él goza ahora de respeto entre los adoradores del dinero.

Al final de *Frauendienst* Ulrich von Liechtenstein cuenta que cuando se creyó cerca de la muerte en la cárcel se puso a buscar una miguita de pan. Las almas de los muertos producen viento, cuando se alejan de los cuerpos. Este viento es especialmente fuerte en el suicida. Alguien debe de haberse ahorcado en el bosque, dicen cuando se levanta un viento repentino.

«Penetrare at plures.» «Abit at multos.» (Plauto)

El paraíso de los cabileños: «Allí hay flores, manzanas y otras frutas, y siempre sopla una agradable brisa que alimenta al resucitado como antes lo alimentaba la comida en la tierra. Pero los hombres son en el cielo "como imágenes" y las alegrías del paraíso no son como las terrenales. El que ha muerto sin haberse casado recibe un esposo o una esposa. Pero en el cielo no hay ya descendencia».

Nostalgia bélica de los ingleses, pero no debe salir demasiado cara. Unas islas como un cristal de masas para una masa bélica. Mil ochocientos habitantes, un millón de ovejas.

Una flota movilizada en su contra como en tiempos de máxima grandeza.

Es una guerra atrofiada, la última sacudida ritual del imperio. La distancia es lo que más recuerda el extenso reino.

La prensa bélica: voces como en los tiempos de la guerra de los bóers, también ella en el hemisferio sur del globo terráqueo.

El contrito *Times* procura hacer penitencia por Munich.

No me atrevo a pensar que no veré la mayor parte de la tierra. Ya esto debería significar el fracaso de una vida. A eso se añadiría el otro fracaso, del que uno no es culpable: el no haber vivido en todas las épocas.

Vida en el espacio cósmico: entonces, no todo estaría perdido. ¡Qué salvación a través de las inmensidades gélidas!

La alegría compartida es tan fuerte como la envidia; ¿o acaso sólo en los que son demasiado orgullosos para envidiar?

Que nadie hasta ahora haya firmado con el diablo un pacto para la lectura: «¡Todavía *he* de leer tanto!».

Lenguaje envenenado: entonces Hegel, ahora Freud.

Algo como una divinización de todos los niños me llega con él. Miro a mi alrededor y cobro esperanzas, a pesar de todo.

Incluso la brevedad de la vida juega en Schopenhauer un papel como argumento, también la muerte.
Pero ¿no le conferimos a la vida un gran valor, cuando denunciamos su brevedad y denunciamos la muerte?

El que lee poco pronto parece un periódico.

He oído hablar ya tanto de las casas de la Engadina como del Sinaí.

Personas que le quedan a deber todo al lenguaje. Hablan como si antes de ellos ninguna palabra hubiera significado nada.

Me importa sobremanera anular parte de la infelicidad que Freud ha provocado.

Él siente los mordiscos de la jauría. Qué bien que los sienta. Por fin corre de nuevo, en vez de pastar.

Él pasa de largo ante las sombras de las palabras. ¡Entra! ¡Entra!

No puede creer que Dios lo haya llamado y siga
con vida.

En vez de apostar por las elites, apuesta por las
lenguas moribundas.

Ya no se mueve con naturalidad entre las palabras,
está ocupado con las interioridades de éstas.

Uno cuenta los hormigueros del mundo. Esperanza.

Buscar en todas las autobiografías las huellas de
las historias de vidas ajenas.

A veces amargura por Kafka, porque se fue tan
deprisa. ¿Envidia? Sí, ahora él envidia a todo el que
no ha vivido su fama.

¿Retorno? ¡Jamás! ¡Jamás! – Ahora o nunca.

No hay idea más desoladora, más penosa, más
espantosa que la del eterno retorno.
    Ni a mis peores enemigos se lo desearía.
    Imaginemos el retorno de Nietzsche bajo Hitler.
Se habría condenado a sí mismo a ser cristiano
y habría renegado de su obra hasta la última letra.

Y así todo es posible por parte de todos, y quien
todavía hace distinciones es un infame mentiroso.
Todos pueden ser asesinos, también los que fueron

víctimas de asesinatos, éstos aún más, y contra esta venganza sanguinaria de las masas, que se llama historia, no hay más que un único remedio: la proscripción de la muerte.

Es inevitable que uno se repita. Pero es perturbador descubrir que cosas que se dijeron una vez bien, más tarde se repiten de manera mucho peor.

Un halcón cuya llamada se asemeja a una loca carcajada humana. Vive de serpientes.

Hegel: «Que es el destino inevitable de los reinos del Asia oriental estar sometidos a los europeos, y también China tendrá que someterse una vez a este destino».
 La miserable y siempre errada «necesidad» de Hegel.

Como pesas de plomo son los lugares en los que ha estado, y como espejismos celestiales aquellos a los que desea trasladarse.

Cucharas que gruñen.

En cuanto se trata de «texto», significa algo.

Prefiere apoyarse en nada a apoyarse en Freud.

Olvidar una obra de teatro terminada. El recuerdo repentino de ella, la propia obra.

La tierra como botín de la Biblia.

Dejó de escribirle, para no empujarlo al suicidio.

Tenía una opinión tan pobre de sí mismo, que se hizo famoso por ello.

Nunca he querido describir algo que no se transforme. Las transformaciones creíbles son la esencia del drama. Tanto que deseaba ser un autor dramático, me lo arrebataron de la mano.

Las masas, las masas, cuánto tiempo pasó entre las masas; ahora sólo las oye a través del libro que le inspiraron.

Bueno, mejor, pésimo. ¿Qué mosca les ha picado a los superlativos?

Incesantemente, mientras él utiliza su lápiz se sacrifican animales. ¿Hemos de ser como aquéllos y decir que nunca supimos nada de eso?

Él no pide transigencia sino agudeza visual.

La gente del *libro* que ahora lo reconocen. Se sienten halagados por el sufrimiento de Kien.

El retiro en la proximidad de Dios.

Los perros salvajes destrozaron la casa.

Marginales papagayos poéticos.

«The Chinese relate that the *mantis* will stretch out its feelers to stop a cart.»

Ha conseguido evitar la erudición de la modernidad. Así, nunca ha alcanzado la punta y ésta no se rompe con él.

Cuando habla de antepasados exulta. ¿En cuántos idiomas puede encontrárselo, al «hombre histórico»?

Una torre Eiffel de citas, cuatro veces al día sube a ella y baja.

Creyente a posteriori.

Se criaban tanto ratones como elefantes, y había toda clase de animales de todos los tamaños, como zapatos.

Un señor, dice, y piensa en todo lo que él mismo no quiere ser.

El mejor hombre no sabe siquiera que es un hombre.

1983

Una convicción nunca se acaba, hay que llevarla al
abrevadero.

Escribir únicamente sobre la antigua vida cuando la
nueva pueda hacerle frente.

Proteo se ríe maliciosamente.

A éste le echan muertos en el camino como si fueran
flores.

Ella se rinde a los tonos.

Él reunía relojes por todas partes y los pisoteaba.

El interlocutor de ayer lamentaba los *costes* de la
guerra de las Malvinas.

Sueños en idiomas olvidados.

¿Cómo va a aguantar ella otros varios millones de
frases tuyas?

Escribir otra, una segunda historia de tu vida,
en la que digas *todo* lo que sabes de cada uno: para

leerlo, sólo si el mundo aún existe, dentro de cincuenta años.

«¿Se ha dado usted cuenta de la doble *s* en los nombres de Matisse, de Poussin y del aduanero Rousseau?»

Picasso

El que ha adquirido amplitud puede rechazar mucho.

Pensar como si nunca se hubiera pensado. Lo turbulento del comienzo, no puedo prescindir de ello.

La variedad de todos estos animales, ¿y sólo *un* principio?

Causalidades que se sustituyen unas a otras.

Allí la gente se insulta con los nombres de eminencias pasadas.

Allí las posesiones producen un mal olor corporal.

Allí las gentes se encuentran sólo para leerse mutuamente sus obras. El suplicio de la vida.

Allí sólo las celdas de la cárcel son rectangulares.

Transformado de monje mendicante nuevamente en gorrón, acecha en un jardín junto al Mediterráneo y medita sobre comisiones.

Creo que lo sobrestimo, porque comparto con él muchas de sus opiniones.

Reflexionar sobre las cosas como si pudiéramos extenderlas delante de nosotros.

Musil ha pagado por Mach; con la imposible conclusión de *El hombre sin atributos*.
    Amo a los veloces, que nunca concluyen la obra de su vida.

El celo saltarín del fanático. Además, habla siempre con las frases de *su* sagrada escritura. A pesar de que también son mis frases, me gustaría darle con ellas en la cabeza.

«Un día vimos para nuestro asombro a un hombre de estatura gigantesca que desnudo bailaba y cantaba y se echaba arena en la cabeza.
    »El capitán hizo servir a nuestro gigante comidas y bebidas, y le mostró entre otras cosas un espejo de acero. Como el gigante no tenía un concepto de este objeto y no imaginaba que se vería a sí mismo en él, se echó atrás con tal espanto al ver su figura que tiró al suelo a los cuatro hombres que estaban detrás de él.»

Esperaba a un amigo y decidió contarle algo que éste no podía haber oído jamás.
    A medida que se acercaba el momento, lo que le quería contar era cada vez más conocido.

Cuando venían visitas él se escondía debajo de la cama y contemplaba el respeto de sus zapatos.

El verdadero fin, el fin mítico del imperio mundial, son las islas Malvinas. ¿Lo sabrán los instigadores?

Avaros que disfrutan con la generosidad vicaria de *otros*.

«Honour resides in the manes of horses.»

Árabe, El Cairo

Eliot, que halla en Joyce la densidad que le falta.

¿Qué lo hace feliz cuando lee sobre las múltiples religiones? Las esperanzas, las conmovedoras esperanzas, las esperanzas que ya no puede haber, han sido estranguladas.

Se imagina a Kien como a un gigante – un cactus de quince metros y doscientos años.

En China, los pinos viejos son personas.

Uno que se hace famoso en el vientre de su madre y que no logra superarse en toda una larga vida posterior.

Temeridad y decisión de un escarabajo. Se adentra directamente en la boca abierta de la bestia sin nombre y le pica en las amígdalas.

Vivir una vida más, que no tenga nada que ver con la anterior.

De pronto encajan como las dos partes de una caja y dentro no hay nada.

Alma de vida y alma de muerte entre los toradias (Célebes).

El alma de muerte cuida de que él encuentre su fin predeterminado. El alma de vida constituye lo esencial de su vida y su personalidad inconfundible. Los muertos hacen todo *al revés* que los vivos. Caminan con la cabeza hacia *abajo*. Hablan, pero *vuelven del revés* las palabras. El cuerpo (disecado) del jefe es lanzado al aire varias veces acompañado de gritos salvajes. Una vez recogido, es extendido cuidadosamente en el suelo con los pies hacia el sur. Delante de las tumbas se colocan retratos de madera de generaciones de muertos (vestidos, con rostros reconocibles).

Captura y doma de elefantes.

«En los lugares por donde pasan muchos elefantes se colocan lianas largas y gruesas con lazos. Como los cazadores están cerca, notan pronto cuándo un animal ha caído en la trampa. Lo derriban al suelo, atan sus patas y lo meten en una jaula estrecha. Para que el animal no esté en el barro, cubren el suelo de ramas. Entre las patas del animal se colocan palos para que no pueda ni moverse ni tumbarse. Por una caña de bambú, situada encima de su espalda, gotea constantemente agua sobre el elefante. Sobre él se erige un toldo para protegerlo del sol. Según los malayos, el animal permanece en esta jaula veinte días, si es que soporta la tortura. Pero después está domesticado y acostumbrado a su amo, que de vez en cuando trepa a su lomo y le da masajes con los pies. Sin embargo, muchos elefantes sucumben al suplicio» (Schebesta).

Te lo ruego: ¡no te arrodilles! Te lo ruego: ¡levánta-te! Te lo ruego, quita tu mano de mi corazón. Se ha congelado sobre él.

El superviviente que ya no conoce a nadie. ¿Es verdaderamente un superviviente?

Lo sorprende que uno que se apoya en él no diga sólo tonterías.

Cuando adviertas que alguien no te quiso bien, investiga primero qué fue lo que lo disgustó en ti. Puede que tuviera razón.

Regreso al país de la vencedora ahorrativa. Con doscientos cincuenta muertos lo ha conseguido. ¿Qué menos puede pedirse?

La memoria como culpa: cómo algo se convierte en culpa porque se recuerda.
   Un pasado que se vuelve presente contiene, entre otras cosas:

la culpa frente a todos a los que hemos sobre-
vivido;
   la culpa de los caminos oscuros;
   la culpa de las falsas figuras.

La credibilidad de la memoria, obtenida por aquello
que excluimos de ella.

Registra cada mirada de otro hombre sobre su
mujer y no perdona a ninguno. Con asombro e in-
quietud constata que la mujer no recuerda ninguna
de esas miradas, absolutamente ninguna.

Dame un Dios para que lo convenza de que nos
preste su ayuda.

«Yo lo conozco», dijo él orgulloso antes de empezar
con su difamación. Daba la impresión de que hablaba de otro.

Todos los calumniados por él se parecen, son su
reflejo.

Uno podría pasarse toda la vida reflexionando
sobre sí mismo, y no darse cuenta de que no lo
merece.

Un amigo para respirar juntos.

El asesor de animales.

Cuando él piensa en madame de Staël le dan ganas de convertirse en Napoleón.

Rodeado de nombres, nombres conocidos, que el niño conoce, que añora durante todo el año, ahora lo rodean apretadamente, él los enumera, incesantemente, un jubiloso canto de alabanza, son nombres bellos, yo se los he enseñado y ahora no puedo ya ni oírlos.

Su egoísmo excluye el gusto por las anotaciones. Le resultan demasiado diversas y demasiado numerosas, entre ellas pierde el objeto de su tierno amor, su persona misma.

Aquí no me extrañaría encontrar a Lao Tse, dijo ella, en este camino.

¡Pensar que por éste, el único Tolstoi, nos entristecemos por los crímenes de los otros!

Todavía no has llegado al punto de sentir demasiado poco respeto como anciano. ¿Acaso no va en aumento: para Sonne, para Musil, para Robert Walser?

«Gigantic wheels containing entire libraries.»

Desideri, en China y Japón

Te preguntan una y otra vez por el niño, porque has escrito sobre él con tanto amor.

Siempre hay algo de compasión cuando las que preguntan son mujeres.

Apenas se atreve a hacerles regalos, hasta tal extremo lo odian los obsequiados.

Él había enmudecido, sin duda, pero siguió viviendo durante años escondido en los libros.

¿Qué opinión nos merece el que se ha permitido *todos* los pensamientos?
No basta para disculparlo el que no fuesen realmente pensamientos.

Quieren recuperarlo para el pueblo perdido de ellos. Pero él sólo se deja recuperar por todos los pueblos.

Ellos no comprenden que la patria de él está dondequiera que haya estado y donde todavía
desee estar.

Desde que sabe que va a morir, no mira ya a nadie a la cara.

Marionetas en Japón.
«En 1731 aparece la primera marioneta con dedos articulados; en 1734, la primera marioneta capaz de simular movimientos respiratorios. Desde 1740 las marionetas tienen cejas que se mueven;

a partir de ese momento, la mecánica mejora de año en año. Empiezan a moverse los ojos y los párpados, así como la boca, la lengua y todas las articulaciones de los dedos.

»Las marionetas tienen sus propios criados y peluqueros, y se las trata casi como a seres humanos vivos.

»Las marionetas, que son difíciles de manipular, necesitan seis actores que se reparten el manejo de cada miembro. Uno mueve sólo la mano izquierda. El actor principal mueve la cabeza, el cuerpo y la mano derecha. También hay especialistas para los diferentes personajes, para papeles masculinos y femeninos etc.» (Rumpf).

¡Ay, Prometeo! ¡Ay, tu final! ¡Sin roca, sin águila, sin hígado!

¿Por qué ha de entusiasmarse un chico? ¿Por ordenadores y explosiones?

El aire estaba consumido, ¡y aún había tantas palabras por articular!

Él desea marcharse antes de que todo salga volando en pedazos. Debería desear permanecer de tal manera que nada vuele en pedazos.

Él dio unos golpecitos en la puerta de ella, entró, la vio sonreír y su angustia mortal por ella se desvaneció.

Reunión de los ancianos, medio muertos todos,
pero todos acechando elogios de un lado y de otro.

Un ensayo de Octavio Paz sobre Sartre, que he leído
hoy, corresponde exactamente a lo que yo pienso
sobre Sartre. Nunca lo he tomado por un escritor,
aunque sí por un analítico y un panfletista. Su *enga-
gement*, como una especie de agitación, siempre me
repelió. Ninguna de sus formulaciones fue un pensamiento. Nada suyo fue nuevo. Siempre tenía a
mano una respuesta, existía ya antes de la pregunta.
Sobre todas las manifestaciones de Sartre hay la
misma palidez, nada brilla, nada respira, nada vive.
Pero hay grandes y detalladas discusiones. Nunca
me han interesado y apenas me he dedicado a ellas.
Ese lenguaje regular y lógico – podría comparárselo
con Voltaire. Pero Voltaire era más duro, porque
era ávido. Quizá Voltaire sea más perdurable gracias a esa dureza, pero tampoco mucho más.
    Haber dado siempre la cara fue el orgullo y la
justificación de Sartre. Sin embargo, es especialmente importante no dar la cara. Debemos sustraernos
y esperar a sentirnos convencidos, desde dentro.
Nunca debemos permitir que nos obliguen a responder. La respuesta no es nada. La respuesta es falta de libertad y, por eso, una equivocación.
    Sin embargo: durante la ocupación de Francia,
podía hacerse algo ocultando la respuesta, y viviendo de tal modo que ésta surtiera, por fuerza, un
efecto.

Él contraía un nuevo matrimonio cada cincuenta
años, con cien, con ciento cincuenta, con doscientos años. Las mujeres cuidan su momia
y la llevan como una prenda ligera de piel.

Conquistadores en miniatura, una nueva variante,
período anglosajón tardío.

¡Oh, qué antiguos, qué antiguos son los reproches!

No resopla. Piensa.

¿Por qué te avergüenzas del que llora? ¿Porque
llora solo?

Ella le legó su enfermedad, tanto lo amaba.

Un padre reverente y un hijo erguido.

¿Sería oportuno dedicarse nuevamente a *Masa y
poder*? No soy capaz de trabajar más en ello.
Es como de una prehistoria.

Direcciones para después.

Todos los platónicos tienen lo mismo a su favor.
Te interesarían más si no fuera lo mismo.

No me gusta nada Borges. No choca con piedra.
La reblandece.

Dios, ¿cómo has soportado tu creación?

Sonne o Spinoza.
Muchas cosas compartidas. La gramática hebrea
de Spinoza. Spinoza como consejero político.
More geometrico – la articulación de Sonne.
Regularidad, precisión, contundencia.

Lo asquea el orden de desaparición de los muertos.
¿Quién lo determina?

Un mundo que no perdure por el comer, ni por amon-
tonar, coger y asimilar, un mundo sin cavidades ham-
brientas que siempre hay que saciar, sin niños que llegan diminutos al mundo y han de ser alimentados para
que crezcan, un mundo en el que las miradas no maten,
en el que no se acumule y no se atesore, en el que ni
siquiera se compre, un mundo con sentidos que no
sirvan para ningún fin, con paisajes florecientes, casas
vetustas, animales claros, montañas que respiran,
aguas durmientes, lenguas incomprensibles, un mundo
que se propague por sus enigmas, y sólo por ellos, y
que termine cuando alguien pretenda resolver uno de
sus enigmas – ¿no sería un mundo?

Retirar a Nietzsche. Si pudiéramos disolver esa existencia aciaga, de modo que sólo quedaran las fuentes
puras y buenas de las que se alimentó originalmente.

A qué ideas hubiera llegado aún la tierra.

1984

A medianoche descubrí, de pronto, encima del tejado de enfrente a Orión y a Sirio. Hace tiempo que no me fijaba en Orión. Hace cuarenta años era mi sostén y mi ayuda. Después de aquel fin de la guerra perdió poco a poco su ascendiente. Cuando nos dimos por perdidos, nos volvimos indiferentes a las estrellas. Ahora siento que aún siguen ahí. Eso quiere decir que puedo tener esperanzas para la tierra. Durante mucho tiempo no me he atrevido a tenerlas, porque uno no quiere burlarse de las esperanzas, a pesar de todo.

Necesito personajes. Sólo puedo subsistir repartido en personajes. Soy demasiado fuerte para permitirme vivir indiviso. Temo la destrucción que podría brotar de mí.

Los judíos que idolatran a Wagner, ¿son peores que yo, que soy fiel a la lengua alemana?

Sí, porque Wagner fue una verdadera desgracia de los *alemanes*. Yo, por el contrario, me he comprometido a ser fiel a *todas* las lenguas y a *todos* los pueblos, y no puedo decirlo más que en la única lengua que se me entrega de buen grado.

Él colecciona, por un lado, dioses; por el otro,
animales. A ratos perdidos colecciona personas,
que después de cincuenta años se dispersan.

Su ternura creció y creció, le parecía como si no
hubiera nada que él no amara, con ojos silenciosos
contemplaba las cosas y los seres y se frotaba ligera-
mente contra ellos y les daba las gracias antes del
fin suyo, el de ellos y el de todos.

Es asombroso que me recuerden precisamente
ahora la *terribilità* de Miguel Ángel, por la que
tanto Wotruba como yo nos sentimos tan impre-
sionados, cada uno a su manera e independiente
del otro.

Yo me muevo ahora en el recuerdo y en lugares más
benignos y me siento protegido por un niño.
  ¿Me he convertido en cristiano, poco antes del
fin del mundo que se avecina? ¿Rezaré aún rápidamente a aquel que se dispone a destruirnos?
  La muerte de ese hombre de cuarenta años que
de manera ejemplar nos llevó en su corazón a
Wotruba y a mí, me duele. He tardado once meses
en enterarme de esa muerte. D. S. murió en Lud-
wigsburg, el día del estreno de *Los emplazados* en
Stuttgart, como si hubiera querido integrarse en
esta pieza dedicada a todos los que han de morir.
Habló conmigo tres veces, de una a otra olvidé su
rostro. Le negué una conversación sobre Wotruba.

Él mismo halló sus propias palabras. Es mi profundo deseo que sean tomadas en serio.

D.S., con la mitad de años que yo, muerto el año pasado. Él, que ya tan joven intuyó lo que Wotruba y yo éramos el uno para el otro, y comprendió nuestro sentido, lo que éramos *aunados*, y supo expresarlo.

Lloro su muerte como si Wotruba y yo hubiéramos muerto con él, y no me avergüenzo de esta tristeza, que podría parecer egoísta. Porque lloro por la amistad más impetuosa de mi vida y no por mí, y esa amistad había sido comprendida total y misteriosamente por él, que murió el año pasado en un accidente.

Energía del narrar, no puedo pasar sin ella. Soy un narrador verdadero, no un narrador moderno.

Ningún alimento, durante tanto tiempo ningún alimento. Sólo recuerdos, es demasiado poco o demasiado oportuno.

No pretendo encontrar al que fui, eso sería una empresa estéril, pretendo dirigir miradas de entonces sobre mí ahora.

Fischerle es una figura muy judía, la del éxito, y que muera justo antes de obtenerlo, lo justifica; él es la verdadera víctima del éxito.

¿Por qué rechazas la idea de otra vida, anterior, posterior? ¿Por qué incluso la transmigración de las almas, la misma palabra, te resulta insoportable?

¿Has caído bajo el hechizo de esta mesa, única, sólida, en la que ahora escribes? ¿De este niño, de esta mujer? ¿No puedes renunciar a nadie y a nada por otra vida? ¿No te atraen inesperadas revelaciones e inesperados encuentros? ¿Están tus muertos tan muertos para ti, precisamente para ti?

No, sólo por eso, por celebrar el reencuentro con un muerto, estaría dispuesto a la idea más repulsiva de todas, la de una transmigración de las almas.

Cuando alguien ataca únicamente porque sabe hacerlo tan bien (como K. K.), cuando ha plantado los aguijones de sus ataques en nuestro corazón y ya no podemos extraerlos nunca más – ¿qué hacemos entonces, qué?

Se odia a sí mismo, a este manojo de accidentes de todo lo que actúa sobre él desde hace ochenta años.

¿Quién le da otro manojo en lugar de éste?

Las utopías fenecidas. ¡Qué tiempos, cuando aún podías cuidarlas y mimarlas!

¿Volverá otra vez ese tiempo, en el que no se teme a las utopías?

Leo un nuevo libro sobre Wittgenstein: fue mucho más interesante de lo que yo sabía, un conquistador contra su voluntad, que renunció a Cambridge, su conquista (y a su dinero, incluso a su deseo), para luego volver otra vez a la conquista.

Como conquistador se propuso la destrucción de la filosofía. Quiso salvar de la destrucción lo esencial, llamémoslo ética, y en los tiempos de la retirada vivió para ello.

Ahora, solamente ahora, sé que me importa. Como conquistador evité cruzarme con él.

Representar al ser humano como un globo terrestre desde la perspectiva de sus cometas.

Cualquier siglo le resulta a uno más comprensible que éste. ¿Es el último?

1859, un año decisivo: *Origine of Species*. Darwin enfermo, sobrevive. Selección natural del espíritu.

La historia de mi vida: recuperación del yo. Su solidez. Su necesidad.

Un hombre recuerda las cosas como ellas hubieran querido ser: más terribles, mejores, más poderosas.

También se desea *regalar* fama, en la historia de una vida, a los demás; la gloria póstuma para uno solo es despreciable.

«En las montañas del Pamir se ha descubierto una gota de agua de hace cincuenta millones de años. La gota está encerrada en un pequeño cristal de roca y así se ha conservado.»

Frankfurter Allgemeine Zeitung
3 de marzo de 1984

Si la vida de ella te es cara, intégrala a ella en la tuya.

¿Un místico? Sí, pero uno que aún no ha conseguido encontrar la palabra que lo conforme.

Tú sólo puedes castigar con el silencio, lo que no revela ni un ápice de respeto.

Sin embargo, el respeto no ha de estar dirigido a ti, sino a lo que transmites.

Indagar sobre *todos* cuantos ha conocido. Prestar a todos su recuerdo.

Ella, su abedul; él, la platanera solariega.

Aquel Orang, en septiembre de 1980, que salvó su *razón*.

Lo contagioso de toda historia de una vida.

Hay mucha verdad en *Masa y poder*, sobre todo aspectos secundarios que no te parecían importantes.

¿Interpretar? ¿Quién se atreve a interpretarlo?
¿Acaso no ha pasado su vida interpretando cosas
importantes?

Él se reserva el tropiezo para ocasiones más
solemnes.

¡Penoso, penoso, cuántas cosas recuerda uno!
Menos sería más. ¿No sería incluso lo máximo?

Él paga amargamente y en moneda contante y
sonante por la presentación de un superviviente:
se convierte en uno.
    No era eso lo que se pretendía.

¡Cuánto, cuánto tiempo hace que no estuviste con
los animales!
    ¿Y si todo no fuera más que *un solo animal*
que se burla de ti?

«Yo soy un hombre.» Lo dice tan orgulloso, como
si él mismo se hubiera parido.

De pronto cayó al suelo y volvió a revivir.

Se acostumbró a Dios y se hizo judío.

Sus placeres existenciales.

Ese maldito fuego fatuo de los judíos: el Mesías.

Desde que él ha sucumbido a la música, no se le
ocurre ya nada.

Sus relaciones oficiales con la eternidad.

Solemne, como en un entierro, su risa de hiena joven.

La despreocupación del pseudo-genio (Ernst Fischer,
Werfel).

La petulancia del elogio: la alabanza de Dios.

Tu espíritu democrático está intacto, pero está hueco.
    Ahora desprecias lo que hacen, lo que desean, a
quien eligen.
    Él te utiliza como carburante, y tú lo utilizas como
falsa trompeta.

Domador por desasosiego.

Él da lecciones a sus globos. ¿Acaso no los ha inflado
él mismo?

Una obsesión muy *antigua*, digamos, de setenta u
ochenta años, vuelve a ser interesante.

El lápiz, su muleta.

Reparos, afinados recientemente.

Gotas de agua, relucientes de expectación.

De tu vida puedes contar lo que quieras.
No necesita ser completo ni estar calibrado.

El comienzo no fue malo. Pero entonces cumplió
cien años.

Una manía de la que uno nunca se cura: la de preci-
pitarse, por fin, desde una enorme roca que siempre
tiene uno delante.

Olvidarte. Olvidarte después de terminar la historia
de tu vida. Entonces la trilogía habría cumplido su
objetivo.

La palabra más imprecisa de todas: «yo».

Aún oyes el cortar de las frases. Son lo arcaico en
este tiempo de las explosiones.

Indigencia del que escribe partiendo de su tiempo.

Allí llueve la paz desde nubes inagotables.

Al final, en la «grandeza» importa poco su contenido, importa sólo que sea grande. ¿No basta con
eso para protegerse de ella?

Cuando *no* escribe tiene dolores.

«The Nawab had the intervals between his toes
full of letters, and he also held many between the fin-
gers of his left hand. He drew them sometimes from
his feet, sometimes from his hand, and sent replies
through his two secretaries, writing some also
himself.»

Tavernier, «Travels in India»

Lo más bello, lo más refrescante y lo más excitante
que hay para leer son los antiguos relatos de viajes.

¡Nunca hubiera pensado que este viejo comercian-
te de joyas de Tavernier pudiera excitarme tanto!

He encontrado en él la santificación de los lápices
y la aversión temprana al tabaco.

Ningún tema te ha abandonado. Todo sigue ahí,
como antaño. Lo que te hostiga y lo que te complace
– lo que te pasa por la cabeza sigue siendo lo mismo.
No se puede hablar de una unidad de la persona,
pero sí de una unidad de las *personas*. Pero ¿de verdad, no ha venido a añadirse alguna nueva? ¿Y desde
cuándo no?

Y algo es diferente, sin embargo: el orden en el
que se presentan las personas que te constituyen.

El que supera la alabanza, la merece.

No puedes odiarte cuando tiemblas por la vida de
otro. Porque podría ser que lo salve el poder de tu
sentimiento de dignidad, sólo él.

Muy pronto me horrorizó Parménides. Muy pronto me conmovió Heráclito.

Entonces di con la consecuencia principal de Heráclito: en Hegel, y ahora no sé cómo desdecirme interiormente de Heráclito.

¡Cuánto has descartado, de impresiones sobre ti en Viena! Hay algunas decisivas entre ellas: Schiele y Matuška, el que atentó contra el tren, y aquel insensato intento de comprender a Matuška entre los periodistas presentes en el juicio.

Quizá te pareció innecesario tratar de algo que ha encontrado forma definitiva en *Masa y poder*.

Pero ¿por qué has evitado a Schiele? ¿Sólo porque lo encontraste más tarde en Londres entre los grandes comerciantes? Nada pudo ser más repugnante, y también los denodados esfuerzos de Kokoschka para borrarlo del mapa fueron lamentables.

Los otros pueden arañarlo y morderlo, alivian sus necesidades sobre él, él se da el gusto de tener admiradores.

Los anales Tang confirman que «entre los tibetanos los ancianos eran despreciados, que la madre debía saludar al hijo y que éste tenía preferencia ante el padre: al salir y al entrar los jóvenes iban por delante, mientras que los ancianos debían seguirlos» (Tucci).

Siempre bizqueaba, hacia la esquina de Dios.

Renuncia – maravillosa palabra.
Lo que a ti te resulta menos fácil: lo más maravilloso.

El murciélago duerme diariamente veinte horas.
Los caballos duermen sólo de tres a cuatro horas.
El delfín duerme únicamente con una parte del
cerebro, alternando, la otra siempre permanece
despierta (Borbély).

Fraccionamiento del cielo en innumerables envases
de vidrio.

A veces pienso –aún hoy– que Karl Kraus me
destruyó.

Lo muerden pensamientos que olvidó hace sesenta
años.

Ahora procura encontrar el libro *anterior*, situado
detrás del último que acabas de terminar.

En esta penumbra está por fin solo. En esta penumbra ha despertado. En esta penumbra puede oscu-
recer mucho.

Por fin se demostró que el cielo era de vidrio.
Pero era un vidrio que sólo se intuía.

Dioses – insectos, indestructibles.
Después de nosotros, como antes de nosotros,
nuevamente su mundo.

Con tantas palabras no se hace uno inmortal.

Quizá los hombres dejen detrás de sí algunos dioses.
¿Dónde?

Soy incapaz de *resolver*, debo unificar. No sé
siquiera resolver palabras, aún menos una vida.

¿Te resultaría tan enojoso Freud si no estuviera
tan manido? ¿Si no hubiera existido con sus ideas?
¿Si éstas hubieran aparecido, de pronto, *nuevas*:
en ti? – Espantosa posibilidad.

Ahora amo el anochecer tanto como si el niño
estuviera cerca y jugara con su madre.
    ¿Por qué no has jugado *tú* con el niño? ¿Por
qué sólo eres capaz de contarle historias, imitar a
personas, exagerar, asustarlo y hacerlo reír y luego
inventar más y más, hasta que no puede más de
risa y aún pide más?
    Creo que no puedo dar al niño más que lo que
yo soy esencialmente, y por eso rehúyo cualquier
relación corriente con él, como es habitual.
    No le he dado nada de las cosas generales,
aunque él las quiere.

Todo en mí es terriblemente grave y sólo soy libre en la exageración.

¿Qué otra luz te sería más querida que esa que se difumina lentamente?

Oh dureza, dureza, se demuestra que todo es más duro de lo que yo nunca percibí.

La intrusión de lo honrado pesa más.

Ridículo patriota de la vida que surge de bazofia – ¿aún no tienes bastante?
   Quizá, si fuera *más perfecta*, si no estuviera amenazada de enfermedades y de destrucción, la apreciaríamos menos, pero en la preocupación que nos produce acaba por introducirse respeto.

Del material de *una* vida podría deducirse la totalidad del futuro. Pero ¿quién tendría la falta de corazón necesaria para ello?

Poseer países de maneras diferentes: como prepasado, como profecía, como recuerdo, como huida.

   Reducir, reducir, saber menos, desear menos.
   La exigencia fue demasiado grande. Es imposible abrazarlo todo. Pero ¿cómo irme a descansar sabiendo el horror que les espera a otros?
   ¿Extinguirse uno solo? ¿Solo? ¿Y todo en peligro?

Como si tus prejuicios fueran mejores, sólo son más violentos.

Origen de los terremotos… una asamblea de los muertos (Pitágoras).

«…que él (Pitágoras) ejercía una abstinencia religiosa de ese tipo y por ello se mantenía alejado de asesinatos y asesinos, que no sólo evitaba a los seres vivos animados sino que nunca se acercaba a los carcajes y a los cazadores.»

Akousmata.
4.º Evita las calzadas militares y camina por los senderos.
7.º Cuando soplen los vientos, has de venerar su fragor.
29.º Cuando te levantes, dobla las sábanas y borra tu impronta.

«Pero Walter recuerda todavía con precisión la curiosa mezcla de ironía y seriedad con la que su hermano le habló entonces: "Primero entra en el partido y procura ascender allí todo lo que puedas. Conviértete en *Gauleiter* y si hay más, ¡pues más! Porque sólo así estarás protegido contra lo que yo emprenda desde el extranjero contra Alemania…".»
Bertolt aconseja a su hermano Walter Brecht que permanezca en Alemania.

La *suma* de nombres.

Él escribió, escribió y escribió hasta que la puerta del infierno se abrió ante él. Entonces siguió escribiendo allí tranquilamente bajo penalidades y torturas.

Lo que salvó al salir de Viena lo protegió de Viena: Nestroy y Musil.

El ladrón competente es el que se pavonea de serlo.

Diseccionar una carta en sus pensamientos ocultos.

Su profesión de base: pesimista. Para ello necesita una casa.

Viudas de resurrección.

APÉNDICE

p. 11   El sabor de la muerte en una causa despreciable es como el sabor de la muerte en una gran causa.

p. 34   La imposibilidad de hacerse cosquillas uno mismo.

p. 37   Caridad con las hormigas: en aquel lugar vi a un hombre muy caritativo con las hormigas. Llevaba un saco de harina para repartir entre ellas; y dejaba un puñado donde encontraba unas cuantas.

p. 45   Una joven intentó envenenarse porque su tío no quiso tomar la comida que ella le había preparado.

p. 46   ...a punto de perder la razón, oía a los pájaros hablar *griego* ante su ventana.

p. 52   El estilo seco, que atraviesa el tiempo como una momia incorruptible.

p. 57   Qué bosques de laurel ofrecemos, y las lágrimas de la humanidad, a los que se mantuvieron firmes frente a la opinión de sus contemporáneos.
        Hervimos a diferentes grados.

p. 65   Los mismos muertos, se dice, desean ser numerosos.

p. 70   De esos que poseen un alma visible.

p. 83   El yo es casi siempre, pero no siempre, odioso.

pp. 95-96   *Jainismo*. Actualmente el mundo declina rápidamente. El proceso de declive continuará durante cuarenta mil años, en los cuales los hombres menguarán como enanos, con una vida de sólo veinte años, y vivirán en cuevas, habiendo olvidado toda cultura y hasta el uso del fuego. Entonces habrá un cambio y empezarán a prosperar de nuevo, para volver a declinar, y así por toda la eternidad. A diferencia de la cosmología de los budistas e hindúes, la de los jaina no prevé cataclismos de destrucción universal.

Las almas no sólo pertenecen a la vida animal y vegetal, sino también a entidades como las piedras, las rocas, el agua corriente y otros objetos naturales que otras sectas no ven como seres vivos.

Cuando se ha liberado por fin, el alma se eleva por encima de los cielos más altos hasta el techo del mundo, donde permanece en un estado de dicha inactiva y omnisciente durante toda la eternidad. Esto es para los jaina el nirvana.

El jainismo nunca abandonó su ateísmo, y en él no hay una evolución comparable al Gran Vehículo del budismo. El jainismo ha durado dos mil años únicamente sobre la base de sus austeras enseñanzas.

Para llegar al nirvana, el hombre ha de abandonar todos los impedimentos, incluidos los vestidos.

El universo declina rápidamente en la actualidad, y ningún alma alcanza hoy el nirvana o tiene la menor esperanza de alcanzarlo en un futuro próximo; por eso se llevan vestidos en estos tiempos degenerados, como concesión a la fragilidad humana.

El régimen del monje jaina era estricto en grado extremo. Durante el acto de iniciación no le afeitaban la cabeza, sino que le arrancaban el pelo de raíz.

Cinco votos: renunciar a matar, a robar, a la actividad sexual y a la posesión de bienes.

Los monjes jaina solían llevar plumeros para barrer de su camino las hormigas y otros insectos y salvarlos de ser pisoteados, y llevaban velos en la boca para evitar que los diminutos seres vivientes del aire fueran inhalados y aniquilados. En su insistencia en el *ahimsa* el jainismo iba mucho más allá que cualquier otra religión hindú.

p. 103   ¡Qué lastima que no nos veamos! De día es imposible. Cualquier ser humano en mi estudio me desconcierta durante el día. ¡Los que podéis trabajar por la noche sois muy afortunados!

p. 108   Penetrare at plures. Abit at multos.

p. 114   Los chinos cuentan que la *mantis* despliega sus antenas para parar un carro.

p. 120   El honor reside en las crines de los caballos.

p. 124   Ruedas gigantescas que contienen librerías enteras.

p. 142   El nabab tenía los intersticios entre los dedos de los pies llenos de cartas y también sostenía muchas entre los dedos de la mano izquierda. Unas veces, las sacaba de sus pies; otras, de sus manos, y enviaba respuestas por medio de sus dos secretarios, y él mismo escribía algunas.

ÍNDICE

Titulo de la edición original:
Aufzeichnungen 1973-1984 II
Edición al cuidado de Juan Manuel Salmerón
Diseño: Norbert Denkel
Fotocomposición: Domingo Romero
Producción: Sebastián Acosta
© Elias Canetti, 1999
© Carl Hanser Verlag München Wien, 1999
© Genoveva Dietrich, por la traducción, 2000
© Galaxia Gutenberg, S.A., 2000
© Círculo de Lectores, S.A. (Sociedad Unipersonal), 2000
Impresión y encuadernación:
Printer industria gráfica, S.A.
Nacional 11, Cuatro Caminos, s/n,
08620 Sant Vicenç dels Horts, Barcelona, 2000

GALAXIA GUTENBERG, S.A.
Passeig de Picasso, 16, 08003 Barcelona
www.galaxiagutenberg.com

CÍRCULO DE LECTORES, S.A.
Travessera de Gràcia, 47-49, 08021 Barcelona
www.circulolectores.com

1 3 5 7 9 0 0 0 9 8 6 4 2

Depósito legal: B-34047-2000
ISBN Galaxia Gutenberg: 84-8109-300-9
ISBN Círculo de Lectores: 84-226-8402-0
N.º 35360
Impreso en España.